COMO
CANTAR

EDAF
MADRID

En la notación musical internacional, las siete notas de la escala son cada día más representadas por las siete primeras letras del alfabeto, notación que hemos adoptado en la creencia que facilitará el aprendizaje.

Para mayor claridad, damos a continuación las equivalencias entre letras y notas:

A	significa	La
B	—	Si
C	—	Do
D	—	Re
E	—	Mi
F	—	Fa
G	—	Sol

COMO
CANTAR

Graham Hewitt

Ilustraciones de Shirley Bellwood

Revisado por D. JOAQUIN FERNANDEZ PICON

Profesor de Música

Título del original inglés:
HOW TO SING

Traducción de:
RAFAEL LASSALETTA

Depósito Legal: M. 26.018-197
ISBN.: 84-7166-674-X

IMPRESO EN ESPAÑA
PRINTED IN SPAIN

Gráficas Cofás, S.A - Polg. Ind. Prado de Regordoño - Móstoles (Madrid)

A Rebeca, Joe, Mary y Sally

Contenido

Introducción

No hace mucho tiempo, un amigo me comentaba que estaba buscando un buen profesor de canto. Durante los últimos años había probado con varios, algunos de ellos muy caros, pero ninguno fue capaz de «entender» su voz, con el resultado de que se sentía confuso con respecto al «modo correcto de cantar», y había realizado pocos progresos o ninguno.

Mi experiencia fue muy similar al principio. Durante quince años di clases con muchos profesores, algunas veces durante largos períodos, y aunque mis estudios no eran una completa pérdida de tiempo, todo lo que aprendí lo podría haber adquirido en unas docenas de lecciones y sin la oscura terminología que tuve que sufrir mientras tanto.

Leer sobre el canto es probablemente menos útil. De los libros que he podido encontrar y leer, sólo unos cuantos me han servido de ayuda, mientras que han sido muchos los que me han transmitido inseguridad con respecto a cómo mejorar mi canto.

Todos los libros disponibles contienen observaciones eruditas con respecto a la estructura de los órganos vocales, a la acústica y psiquiatría; son buenos para matemáticos o doctores, pero pocos de ellos contienen instrucciones claras y simples que ayuden al cantante.

Ningún libro o profesor pueden transformar a un talento medio en un Caruso o una Barbra Streisand: la «cualidad de estrella» y la sensibilidad musical no pueden enseñarse. Sin embargo, hay algunas verdades fundamentales sobre el canto, fáciles de entender en su mayor parte, que pueden ayudarle a mejorar y desarrollar su actual capacidad para el canto; y este libro trata de clarificar y condensar la información útil en una forma que cualquiera pueda entender.

Si usted canta, o quisiera cantar, música pop, folklore antiguo, madrigales o revista; ya pertenezca a un grupo de rock, o a un coro de iglesia, a un cuarteto, o a una sociedad de ópera; tenga el grado de principiante, de aficionado o de profesional, y con cualquier edad, la *utilización* de este libro le ayudará a reconocer su valor para el canto, a eliminar sus faltas y a desarrollar la fuerza vocal que posea ya.

Como está escrito pensando en todos aquellos que cantan, quizá haya algunas páginas que no sean relevantes para determinados *estilos* de canto. Pero en algún lugar de este libro encontrará información concerniente a *su* voz y a *su tipo* de canto.

Su canto mejorará si lo intenta; observará la diferencia en pocas semanas.

GRAHAM HEWITT

1. La respiración profunda: para el canto y para tener buena salud

La mayor parte de los escritores y profesores de canto ponen un gran énfasis, que considero correcto, en la importancia de un estudio de la respiración y su control en las primeras etapas del curso de aprendizaje de canto. Se sabe que, ya en el siglo XVII, los famosos profesores italianos comprobaban la respiración de sus alumnos, creyendo firmemente que «quien respira bien canta bien».

Una técnica bien desarrollada de *control* de las inspiraciones y espiraciones es valiosísima para los cantantes y maravillosa para la salud general de cualquiera. Expandirá su pecho, aplanará los músculos caídos y corregirá su postura. Además, limpia los pulmones, reoxigena eficazmente la sangre y relaja cuando se está nervioso o tenso.

La respiración tiene tres aspectos que el cantante debe adquirir:

1) La capacidad de inspirar la mayor cantidad de aire;

2) La capacidad de hacer una buena respiración rápidamente;

3) Y lo más importante: la capacidad de controlar el escape de la respiración.

La respiración y el control de la respiración son dos estudios diferentes; los trataré, por tanto, separadamente, y en este breve capítulo hablaré del estudio simple de la respiración profunda.

LA RESPIRACION PROFUNDA O SUPERIOR

El volumen de aire necesario para mantener el cuerpo «en funcionamiento» cuando está relajado escuchando música o leyendo un libro es pequeño. Sólo se utiliza la parte superior de los pulmones, y la parte superior del pecho se mueve hacia arriba y hacia abajo lentamente. Sólo se toma la cantidad suficiente de aire para mantenerse normal; la respiración es superficial».

Como el cantante necesita mantener frases largas, a veces durante quince o veinte segundos, precisa obviamente de reservas considerables de aire, lo que sólo podrá conseguir utilizando *toda* la capacidad de los pulmones.

Es importante recordar que para dar a los pulmones una buena limpieza general, debe vaciarlos completamente (para desembarazarse del aire viciado y estancado), y llenarlos también completamente. Es necesario desarrollar la toma y expulsión *máximas* de aire, lo que puede aprenderse con un poco de paciencia y unas cuantas molestias en los músculos que no había utilizado hasta ahora.

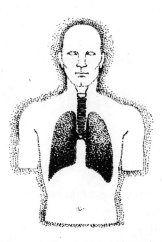

Los pulmones tienen forma de pera: son más anchos en el fondo que en la parte superior. Todo el mundo utiliza las secciones superiores, más estrechas; pero las partes anchas del fondo se ejercitan en raras ocasiones. Para llenarlas completamente, habrá de concentrarse en la base de los pulmones, no en la parte superior del pecho. *No deben moverse los hombros.*

Para empezar, pruebe este ejercicio del siguiente modo:

De pie, con los dedos de ambas manos presionando los costados al nivel de la cintura, tome lenta y cómodamente una respiración profunda, concentrándose en llenar los pulmones desde el fondo. (Posiblemente descubrirá que respirar por la nariz permite una respiración más plena y profunda y que, además, calienta el aire, afectando así en menor grado a la garganta.) Piense en ello como una extensión de la respiración ordinaria: «sienta» cómo baja el aire hasta la parte inferior de sus pulmones.

Si lo está haciendo apropiadamente, sus manos se deslizan hacia fuera, pues los pulmones se expandirán hacia abajo además de hacia los costados, y de ese modo los músculos de abajo se aplanan y son empujados hacia fuera. Dicho sea de paso, si ha tomado recientemente una comida copiosa, su estómago lleno impide a esos músculos moverse con libertad y no podrá expandirlos fácilmente y sin experimentar una sensación de tirantez.

Si no está habituado a este tipo de respiración, quizá no sea capaz de una plena expansión en un principio. No he conocido a nadie que haya sido capaz de respirar profundamente en un primer intento, y a las mujeres parece resultarles más difícil. Pero llegará a hacerlo bien con paciencia y práctica. Finalmente, «sentirá» el modo correcto de hacerlo, y notará y verá el incremento de la expansión.

He aquí otros ejercicios que pueden servirle de ayuda.

Trate de tumbarse de espaldas para realizar los ejercicios de respiración. Cuando está tumbado de frente, la respiración es más profunda y puede sentir fácilmente los movimientos de los músculos.

Otra cosa que sirve de ayuda es mantener un objeto pesado sobre el diafragma: utilice algo lo bastante pesado como para que levantarlo le suponga un esfuerzo, como un jarro de arena. Su respiración recaerá fácilmente sobre el lugar adecuado.

Tenga en cuenta que la expansión de los pulmones y espacios intercostales no se produce tan sólo en la parte delantera del cuerpo: es *todo* el pecho el que se mueve desde la cintura para arriba, tanto en la espalda como en los costados.

He aquí un ejercicio que me parece muy útil, pues pone de relieve esta expansión global. Cuando lo haga, piense en cómo un globo se expande en todas direcciones.

Siéntese sobre una silla firme de respaldo recto, deje los brazos sueltos y separe los codos de los costados del pecho. Sin mover los hombros ni separar la espalda de la silla, tome una respiración larga y profunda desde el fondo de los pulmones. Trate de expandirlos de forma que su espalda se hinche y presione contra la silla. Con este ejercicio se establece rápidamente la sensación de expansión en la cintura y espalda mientras está inspirando.

Tanto más durante la *toma* máxima de aire.

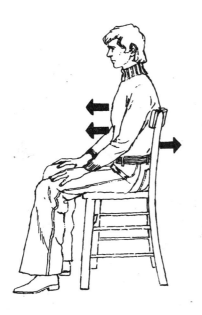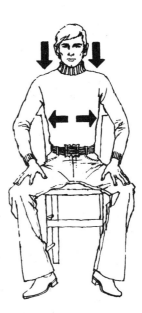

La respiración profunda implica también la *salida* máxima de aire, y aquí es donde empieza el dolor.

Es un hecho sabido que al vaciar por completo los pulmones eliminamos el aire viciado del fondo de los mismos, haciendo que el aire nuevo y limpio reoxigene todos los tejidos pulmonares. Hablando en términos estrictos, esto pertenece al tema de la salud pulmonar y no al estudio del canto (pues nadie canta hasta el punto de agotar la respiración). Sin embargo, los músculos implicados en la exhalación máxima también se utilizan en el control de la respiración, motivo por el cual deberemos echar un vistazo a la capacidad de respiración.

De pie, y tras haber tomado una inspiración completa, empiece a exhalar *lentamente* el aire. Cuando sus pulmones estén medio vacíos, tomará automáticamente otra inspiración. Sin embargo, sus pulmones no se habrán vaciado por completo, y quedará aún en su interior una considerable cantidad de aire, por lo que necesitará apretar un poco más para que la limpieza del aire sea general.

Tendrá que desarrollar dos habilidades. En primer lugar, expandir todo lo posible la caja torácica durante la inspiración; en segundo lugar, empujar hacia dentro los músculos abdominales para ejercer sobre los pulmones una suave presión hacia arriba. Esto servirá de «apoyo» a los pulmones mientras se están vaciando del aire restante.

La expansión de la caja torácica es necesaria, por dos razones: 1) Si deja que el pecho se hunda, la exhalación puede ser demasiado repentina para la espiración *controlada* (que estudiaremos en el siguiente capítulo); 2) La posición expandida del pecho facilita la inspiración rápida que se necesita a veces en un breve descanso entre dos frases largas. Si permite que el pecho se hunda hacia el final de una frase larga, le costará uno o dos segundos, y un notable esfuerzo físico, expandirlo de nuevo, tomar una inspiración y empezar a cantar. Pero si mantiene siempre bien expandida su caja torácica, la inspiración rápida puede realizarla fácilmente sólo con dejar entrar el aire; un proceso rápido que a veces le resultará necesario cuando sólo tenga un silencio de negra o corchea para inspirar.

Intente ahora de nuevo el último ejercicio, pero esta vez manteniendo el pecho completamente expandido. Su caja torácica comenzará a desinflarse, de modo que debe mantener el pecho alto y dejarlo así mientras expele gradualmente el aire. Cuando esté llegando al final del ejercicio, meta hacia dentro los músculos justamente debajo del ombligo, y siga espirando de modo uniforme y confiado. Debe ser capaz de proseguir esta espiración *uniforme* durante varios segundos más de lo que creería posible, y aunque en un principio pueda hacerle daño, sus músculos abdominales se irán haciendo flexibles y podrá sostener los pulmones con facilidad en unas cuantas semanas.

Para facilitar esta respiración profunda, me gustaría mencionar un nuevo ejercicio. Este lo realizará caminando, por lo que ofrece un poco de variedad a los pocos interesantes ejercicios antes descritos. De nuevo, además de ayudarle a desarrollar una respiración profunda, le ayudará a controlar la salida uniforme del aire, tan vital para el canto sostenido.

Camine rítmicamente a un paso uniforme e inspire *gradualmente* a través de la nariz, contando los pasos que dé, hasta que los pulmones estén completamente llenos (recuerde que para llenarlos desde la base deberá mantener los hombros echados hacia atrás y el pecho subido y ancho). Mantenga la respiración durante unos cuantos pasos, con el fin de dar al aire fresco la oportunidad de llegar a los tejidos pulmonares, y luego vaya expulsando lentamente por la boca el aire mientras cuenta los pasos, manteniendo el pecho alzado y apretando los músculos del vientre para expulsar todo el aire. Repita este ejercicio varias veces.

Este ejercicio me parece maravilloso. Limpia los pulmones y ejercita los músculos abdominales y del pecho. Empiece inspirando durante cinco pasos, manteniendo el aire durante otros cinco, y espirando durante diez (probablemente descubrirá que tarda el doble de tiempo en espirar el aire). Al cabo de un período, multiplique por dos el número de pasos de cada fase.

He aquí un diagrama de los progresos en este ejercicio durante un mes. Hágase sus propios diagramas para los otros ejercicios respiratorios.

Día	1	2	3	4	5	6	7	8	9	10	11	12	13	14	15	16	17	18	19	20	21	22	23	24	25
Inspiración	5																								
Pausa	5																								
Espiración	10																								

2. Control de la respiración... o control del aire que se escapa

COMO DESARROLLAR UN GRAN CONTROL DE LA RESPIRACION

Ya sabe ahora lo suficiente acerca de la respiración saludable para obtener una gran capacidad respiratoria para cualquier tipo de canto.

El siguiente paso, que quizá sea más importante, consiste en saber cómo controlar la fluencia espiratoria cuando está cansado. Hay dos razones que hacen necesario el desarrollo del control respiratorio:

1) A veces, los compositores escriben frases musicales largas para que el cantante se enfrente con ellas, por lo que si éste no sabe economizar el flujo saliente de aire, lo agotará rápidamente y se verá obligado a romper las frases largas que deberían cantarse de modo continuado.

2) Cuando esté cantando una frase muy larga, la presión que fuerza al aire a escaparse por entre las cuerdas vocales *deberá sostenerse,* si no quiere que su voz suene como si estuviera perdiendo el aliento. Sonará débil y puede «vacilar».

En cualquier punto del canto de una frase sostenida *debe* estar utilizando la cantidad mínima de aire necesaria, y debe apoyar también la presión de su escape.

Hacemos a continuación una descripción simple de la respiración, porque es interesante y puede ayudarle, además, a entender lo que sucede durante la inspiración y la espiración.

Los pulmones están encajados dentro de las costillas. Debajo de los pulmones está el diafragma, un músculo en forma de bóveda —bastante semejante a medio pomelo, pero mucho mayor—, que constituye una especie de suelo para los pulmones, y divide el pecho desde el área del estómago. Con la inspiración, los pulmones y costillas se expanden, el diafragma se aplana y es empujado hacia abajo, y los músculos abdominales son presionados hacia abajo y hacia fuera. En la espiración, los músculos abdominales y el diafragma recupe-

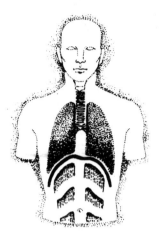

ran pronto sus posiciones originales, la caja torácica se contrae hasta su posición original, presionando al aire para que salga.

En la inspiración, la dirección del movimiento es hacia fuera y hacia abajo, y en la espiración es hacia dentro y hacia arriba. Así:

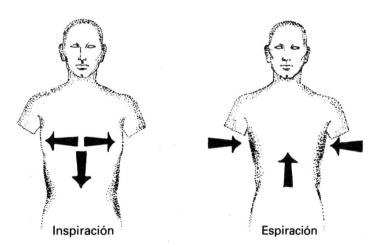

Inspiración   Espiración

Las costillas y el diafragma no permanecerán mucho tiempo en la posición expandida. Su elasticidad natural los devolverá pronto a la posición de descanso. Cuando sucede esto, hay una fuga de aliento, como en un suspiro, se escapa demasiado aire para que el canto resulte cómodo y en unos segundos habrá desaparecido todo. Y eso es, precisamente, lo que el cantante debe procurar que no suceda.

Lo que debemos hacer, por tanto, es *impedir* que el pecho y el diafragma vuelvan pronto a su posición relajada, de modo que podamos controlar la cantidad de aire que se escapa. El *cantante* debe determinar cuánto aire utilizará y el tiempo que le durará. Debe *racionar* el suministro.

Compárese este proceso con el mantenimiento de un globo inflado. Sus dedos pulgar e índice se corresponden con sus cuerdas vocales —una especie de «válvula»—, y el globo representa a sus pulmones. Si la presión de los dedos es la correcta, el aire se escapará en una tasa uniforme, pero sin su ayuda el globo se vaciaría rápidamente. Es similar a lo que sucede cuando se canta.

Por tanto, el control de la respiración implica dos cosas: *controla* el escape de aire y *soporta* la presión de este escape.

Veamos un ejercicio que desarrollará este control del escape de aire. En este ejercicio, trate de mantener el pecho bien expandido mientras deja escapar el aire; es evidente que no podrá mantenerlo *rígido;* su tamaño se reducirá *un poco,* pero *no permita que se hunda.* Al mismo tiempo, no deje que el diafragma recupere su posición. Trate de mantener el pecho ancho y el diafragma mantendrá la posición. Esta vez no *sople* el aire —no debe forzar a salir el sonido vocal, sino que ha de escapar gradualmente de la «válvula» de cuerdas vocales—; cante bajo una nota grave o espire pronunciando la letra F con los dientes superiores sobre el labio inferior.

He aquí el ejercicio: de pie, y relajado, tome una inspiración (desde el fondo de sus pulmones, claro está); los hombros deben caer sueltos, como si llevara dos cubos de agua. Espire ahora con la letra F o una nota baja, lenta, gradual y uniformemente; no hunda el pecho ni siquiera al final de la respiración; imagine que lo está expandiendo, y así asegurará el mantenerlo alto. Empujará sobre los músculos abdominales, y le hará daño hasta que se haya acostumbrado a ello.

No lo continúe hasta estar exhausto; hacia el final, tomará otra inspiración y repetirá el ejercicio.

Si los músculos de su estómago no están en buenas condiciones, le resultará algo difícil realizar este ejercicio uniformemente. Puede mejorar la flexibilidad y fuerza de aquellos con cualquiera de los conocidos ejercicios de músculos abdominales a base de «incorporarse» desde una posición yacente. Otro buen ejercicio, que se realiza también desde una posición yacente, consiste en levantar lentamente los pies a unos centímetros del suelo.

Analicemos ahora brevemente el segundo de los motivos del control respiratorio: *apoyar y sostener la presión de su escape.*

Retomemos el ejemplo del globo. Está bien hinchado y sus dedos dejan escapar el aire en una tasa fija que vaciará el globo en unos veinte segundos. La tasa de escape permanecerá constante durante unos cuantos segundos, y la nota de alto volumen que dé permanecerá «entonada». Pero sólo durante tres o cuatro segundos: después, la presión del aire dentro del globo decrece, la tasa en la que se escapa disminuye, y la nota que da decae. Sin embargo, si apoya la base del globo con la otra mano y facilita la salida del aire, la presión de su escape puede mantenerse siempre constante y la nota no «oscilará».

Algo similar sucede en el canto.

Casi tan pronto como empiece a cantar una frase larga, el diafragma se elevará *gradualmente,* no repentinamente, elevándose para servir de apoyo bajo los pulmones. Ello mantiene constante la presión del aire que se escapa, que *deberá* continuarse hasta que haya terminado de cantar. Hacia la mitad de la frase larga es posible que sienta que se está quedando sin aire, pero no es así. Aún queda mucho aire en los pulmones, y hay un modo de hacerlo trabajar para usted dando a la voz una nueva vida.

El apoyo que da a los pulmones el movimiento hacia arriba del diafragma puede reforzarse empujando con los músculos abdominales por debajo del diafragma. Haciéndolo así, puede garantizar un sonido vocal potente y uniforme hasta el final de la frase larga. Ese empuje de los músculos abdominales se produce también al toser, pero el mejor modo de sentirlo es volviendo a hinchar el globo.

Está hinchado de nuevo el globo: necesita más presión para estirar la goma. Sus mejillas están hinchadas, pero no sucede nada hasta que usted, de modo automático, empuja con los músculos que hay bajo su cintura. Esta fuerza extra del aire produce la presión suficiente para inflar el globo. Eso es exactamente lo que sucede cuando está usted sosteniendo su canto..., y espero que tenga unos cuantos globos a mano.

Eso es todo lo que hay sobre el control de la respiración. Difícil de describir pero fácil de hacer. Vuelva a leer lo escrito y sienta los movimientos de su respiración hasta que crea que los entiende. Luego realice este simple ejercicio.

El objetivo es cantar una nota y mantenerla uniforme durante todo el tiempo que resulte cómodo. Utilice sólo una pequeña cantidad de aire, controle su escape y apoye la nota para darle alguna «vida». Elija un tono que pueda mantener fácilmente, por ejemplo B♭ para las voces graves y E♭ para las agudas; silbe o tararee en lugar de cantar si le resulta más sencillo al principio. Mientras esté haciendo este ejercicio, sea consciente de los movimientos musculares de que hemos hablado y cante con confianza, sabiendo que puede mantener esa línea de sonido todo el tiempo que lo desee.

He aquí otro ejercicio de control de respiración, que es, probablemente, el más valioso de todos. Puede denominarse «messa di voce», término italiano que describe el empezar una nota tranquilamente, incrementar su volumen hasta que sea alto y volver gradualmente al principio. Se escribe del siguiente modo:

Algunos músicos les llaman «reguladores». Elija un tono cómodo a la mitad de su gama, cante U, A, silbe o haga cualquier cosa que le resulte cómoda, haga lentas y graduales el alza y la caída de volumen, «juegue» con su voz, sienta que tiene control sobre ella y repita el «messa di voce» dos veces si tiene aire suficiente.

Finalmente, he aquí otro ejercicio que le mostrará rápidamente si se le escapa mucho aire. Cante frente a una vela encendida sin que la llama parpadee. Como dijimos antes, los cantantes no *soplan* el aire, que sólo recibe presión en las cuerdas vocales. Después se dispersa y se escapa por la boca. No es *forzado* a salir de la boca, y por tanto la llama no debería moverse si está cantando apropiadamente.

Mantenga la vela a unos 20 centímetros de su rostro, cante una frase o un ejercicio suavemente, si lo desea, con el crescendo y el apoyo apropiado a la respiración. La llama apenas deberá moverse. Es un ejercicio muy antiguo, pero creo que muy valioso.

Haga algunos ejercicios y registre su progreso contando su ejecución en segundos e ideando un gráfico o diagrama.

RESUMEN/NOTAS

3. Postura... o forma del cuerpo

Antes de pasar a los ejercicios vocales del siguiente capítulo, me gustaría mencionar algunos puntos acerca de la postura más conveniente para cantar.

Ya sabe que mientras está cantando se producen en su interior muchos movimientos musculares. Su canto se verá afectado si su postura impide a esos órganos y músculos moverse libremente.

La parte del cuerpo que se ve implicada es desde la parte inferior de la columna vertebral hasta la parte posterior de la cabeza. Esta zona no se halla en línea recta ni siquiera cuando está usted erguido. Hay tres curvas en ella: en las caderas, en la mitad de la espalda y en el cuello. Apóyese en una pared y observará los espacios que quedan entre su cuello y la parte inferior de su espalda. Estas curvas han de estirarse de modo que el cuerpo esté tan erguido como sea posible (no es una línea recta total, que es imposible, sino tan recta como le resulte *cómodo*).

Póngase ante una pared, con los talones a unos 12 centímetros de separación y los pies en forma de V, y vaya haciendo los siguientes ajustes. En primer lugar, haga girar las caderas como si estuviera bailando para presionar con la parte inferior de su espalda contra la pared. De ese modo estirará la curva inferior. Luego meta hacia dentro la barbilla y deslice su espalda y cuello hacia la pared para estirar las otras curvas. Sin cambiar su posición erguida, apártese unos centímetros de la pared y transfiera su equilibrio desde los talones a la parte delantera de sus pies. Relájese unos momentos hasta que se sienta *posado,* no rígido, y se hallará en la mejor posición para cantar.

Debe sentir que desde su cintura para arriba ha crecido 2 ó 4 centímetros. Sienta esa sensación de «caminar erguido» que tienen las modelos cuando lo hacen con libros sobre la cabeza. Para mantener los hombros bajos, imagínese que está transportando dos cestas pesadas.

Debe sentirse alerta, equilibrado y dispuesto para la acción, como en la postura de un submarinista cuando se lanza desde cubierta. Ensaye esta postura hasta que crea que la hace correctamente: mejorará su aspecto además de su canto.

Si va a cantar sentado —como hacen a veces los cantantes de ópera, los guitarristas y los teclistas— trate de mantener esta postura y de no agacharse.

La cantidad de espacio que haya en su boca es otro de los factores que influyen en el sonido de su voz.

Hay dos posiciones de las mandíbulas: la de «masticar» y la de «morder». Para percibir la diferencia, coloque los dedos cerca de la oreja mientras mastica. El movimiento es escaso. Pero cuando muerde, la mandíbula inferior se desplaza de su lugar, cercano a la oreja, y baja para crear un espacio mayor entre las muelas posteriores. Esta es la posición para cantar. El incremento del espacio de la boca ayuda a «amplificar» el sonido de su voz.

(Hay algunas ocasiones en que esta forma no es posible: la vocal I en un tono grave es una de ellas. Pero hablando en términos generales, cuanto mayor sea el espacio mejor serán los resultados.)

4. Ataque y terminación de la nota

En mi opinión, el modo de iniciar una nota es tan importante como cualquier otro aspecto de la técnica vocal. Cuando hablo del «modo de iniciar una nota» me refiero a toda la técnica del inicio, incluyendo todos los movimientos físicos que se hacen en el momento en que las cuerdas vocales vibran y producen el sonido. El «ataque» implica no sólo a las cuerdas vocales, sino también a la posición de la lengua y la garganta, a la cantidad de espacio de la boca y a la presión de la respiración. Todos estos factores son influyentes y determinantes del sonido de su voz *en el momento del ataque,* y la alteración de la posición de cualquiera de ellos alterará el sonido que se produzca. El ataque, por tanto, marca el sello de su «sonido fundamental»; es *vital* para su canto.

Supongamos, por ejemplo, que el sonido básico que usted produce es «gutural»; subiendo el sonido producirá un sonido alto y gutural. Si es «susurrante», desarrollando agilidad vocal tendrá una voz flexible que suene susurrante. Y si su voz es ronca, extendiendo su gama tendrá una voz capaz de cantar agudos y graves, pero que sonará mal.

Sin embargo, cuando el ataque es correcto el sonido será correcto, y entonces podrá empezar a desarrollar su voz. Tratar de desarrollarla *antes* de que el inicio de la nota sea el correcto será una pérdida de tiempo.

Si ha pasado junto a un estudio de prácticas mientras en su interior daban lecciones, sabrá a lo que me refiero. He oído los mismos ejercicios vocales una semana tras otra. Al desafortunado alumno se le hace cantar más agudo, más alto y más rápido que en la lección anterior, pero se ignora su *técnica real* de canto. Prácticas de este tipo desaniman al cantante, que no observa ninguna mejora.

Por tanto el ataque, el inicio de la nota, es muy importante, y lo analizaremos ahora.

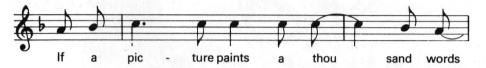

Imagine que va a empezar a cantar esta canción. En esta fase puede valer también cualquier otra que empiece con una vocal. Veamos lo que sucede.

Ha tomado una inspiración, y su postura, claro está, es la correcta. Usted imagina («oye» mentalmente) el tono de la primera nota. Abre un poco la boca, la lengua está plana y no estorba, las cuerdas vocales vibran con una pequeña cantidad de presión del aire y hace el sonido del «If». (Tienen lugar varios movimientos y procesos de pensamiento, pero todo sucede en una milésima de segundo.) Eso es lo que sucedería. ¿Empieza usted la nota de ese modo? Pruebe a «sentir» los movimientos.

El modo de atacar una nota puede ser ahora una segunda naturaleza para usted: ha desarrollado la técnica con los años y se ha hecho automática. Pero quizá no sea tan buena como debiera. Muchos factores pueden afectarla: la posición de la lengua es uno de ellos, y lo que abra la boca es otro.

He aquí algunas cosas a las que debemos prestar atención: la «audición» mental del sonido, la acción de las cuerdas vocales, la respiración mínima, suficiente espacio bocal y posición de la lengua. Hablaremos de estos puntos y haremos algunos ejercicios que establecerán un buen inicio de las notas y corregirán cualquier defecto. Si los practica apropiadamente, acabará por hacer un buen ataque sin ni siquiera pensar en ello.

«AUDICION» MENTAL DEL SONIDO

Si empieza a cantar sin concentrarse en la primera nota, es posible que el inicio de ésta sea algo tembloroso. Podría estar «fuera de nota», y quizá el sonido de la vocal no fuese puro. En los primeros compases de la introducción del piano, *imagine* el tono exacto de la primera nota; «óigalo» en su mente y oiga un hermoso sonido vocálico. Imagine el sonido *exacto* que desea producir y lo producirá. No sé lo que sucede (quizá al imaginar el sonido, las cuerdas vocales se colocan correctamente), pero puedo prometer que funciona. ¡Compruébelo!

ACCION DE LAS CUERDAS VOCALES

Las cuerdas vocales se hallan en la *laringe* (en la «nuez»). Hay pequeños pliegues de la piel unidos a cada lado de la tráquea. Piense en ellos como en contraventanas. Mientras respira, se abren para dejar entrar y salir el aire, pero cuando se dispone a cantar, las contraventanas se cierran y sólo dejan pasar un resquicio de luz entre ellas. La presión de la columna de aire que hay bajo las cuerdas las hace vibrar y se produce el sonido. El sonido es amplificado en los espacios de la garganta y escapa por la boca.

El mecanismo de la laringe es muy delicado y puede dañarse fácilmente con un tratamiento duro. La palabra *ataque* no es conveniente para describir su acción. El inicio agresivo de la nota es malo. Debe ser un inicio suave, y *caricia* es un término mejor que *ataque*. Un profesor compara el inicio de la nota con la operación de soltar el embrague de un coche: no debe producirse un salto o sacudida, sino un movimiento suave. Podemos verlo en un diagrama:

El sonido no debe «explotar» repentinamente,
no debería «disparar» la nota así:

El inicio debe ser siempre gradual:

No puede soltar el ataque por estar demasiado ansioso o rígido: tómeselo con tranquilidad, relajadamente, con un movimiento suave.

He aquí una sensación útil: diga A EGG lentamente, haciendo un breve silencio entre la A y la E. La E de Egg necesita un ataque separado, y hay un «click» concreto cuando se abre la laringe y escapa el aire. Ese «click» inicia la nota, y tiene que haber un suave movimiento acariciante. *El ataque agresivo puede dañar sus cuerdas vocales y arruinar su voz.*

Lento

A   A   A   A   A   A   A   A

Trate de hacer un inicio «limpio» en cada nota. Abra bien la boca, mantenga la lengua baja y utilice el mínimo necesario de aire.

Modifique el ejercicio para que se adapte a su propia voz: traspóngalo a un tono grave y confortable si lo desea, o utilice un sonido vocálico que le resulte sencillo. Recuerde: tranquilo, relajado, impasible... ¡Sin demasiada intensidad!

He aquí otro ejercicio simple, esta vez en tonalidad menor y clave de bajos:

Lento

I A I A I A I A I A I A I A

Utilice nuevamente las vocales que desee (las consonantes vendrán más tarde). Empiece en la parte media de su voz, y gradualmente, durante un período de semanas o meses, extienda los ejercicios hasta incluir todas las notas *cómodas* de su gama.

Dé un nuevo «golpecito» en cada nota: empiécelas de modo separado y deliberado.

Utilice siempre el mínimo de aire: no *empuje* al aire para que salga, no «tosa» el sonido. Recuerde: mínimo de aire, pero máximo de espacio bucal. Al menos el máximo espacio que resulte *confortable.* Si la boca está tensa y rígida, el sonido será tenso y rígido. Abra bien la boca y la garganta —sin estirarlas—; debe ser confortablemente ancha para la vocal y la nota que está cantando.

LENGUA Y GARGANTA

¡Su lengua es mucho más grande de lo que parece! Penetra mucho en la garganta y sus músculos están unidos con la caja de las voces. Si se toca la «nuez» mientras mueve la lengua hacia atrás y hacia delante, entenderá lo que estoy diciendo. De ello se deduce que si su lengua está demasiado adelantada o, lo que es más común, retirada, interferirá en la laringe, afectando a su libertad de movimiento, y cambiará el sonido de su voz. Si está demasiado retirada, constreñirá además el espacio de la garganta.

La mejor posición para la lengua es relajada sobre el suelo de la boca, con la punta descansando sobre la parte trasera de los dientes. Uno de mis profesores decía que debe estar plana sobre la boca, como la primera capa de pasta apretada en el fondo de una bandeja de hornear.

La peor posición es levantada y retirada hacia la garganta. Algunos hombres suelen hacer esto cuando tratan de producir un sonido profundo, resonante y viril. Esta posición obtura la garganta y produce un sonido constreñido.

Son pocos los cantantes que tienen un problema serio con la lengua. Si no es uno de ellos —y no es probable que lo sea—, ¡olvídela! Preocuparse en exceso por ella le convertiría en un hipocondriaco, y luego la lengua se volvería ingobernable.

Si cree que su lengua se va hacia atrás y estrecha el espacio de la garganta, trate de frotar la punta de la lengua contra la parte posterior de los dientes. De ese modo establecerá una posición cómoda, y en unas cuantas semanas su lengua adoptará una posición aplanada.

Otro truco que puede servirle de ayuda consiste en sostener la punta de la lengua con un pañuelo mientras canta algunas frases o vocales fáciles.

La garganta y la mandíbula deben estar tranquilas, relajadas y «naturales». No debe haber dolores ni rigideces en ellas. Si los hubiera, y no se encuentra cómodo, es que algo va mal y no está cantando apropiadamente. Corríjalo moviendo la mandíbula de un lado a otro para soltarla, asumiendo una posición de «bostezo» para relajar la garganta y experimentando con los ejercicios de esta sección hasta que cante cómodamente.

Las vocales E y Ü son especialmente útiles para soltar cualquier tensión. Al cantar estas vocales, la garganta, la lengua y la mandíbula parecen caer en una posición relajada. Lo mismo pasa con la consonante K. Por tanto, si practica con KE y KU, empezará a producir un ataque relajado y cómodo.

He aquí un ejercicio para empezar:

Lento

KE KE KE KE   KE KE KE   KU KU KU KU   KU KU KU

Haga algunos ejercicios más empezando por la nota que le convenga a su voz.

Los siguientes ocho ejercicios, que le guiarán cuando componga algo usted mismo, deben ser utilizados por su voz en diferentes tonalidades y utilizando las vocales que desee. No lo olvide: ·cómodo, suave, limpio, relajado... ¡Sin vapuleos! Pronto percibirá una mejoría en la claridad de su ataque:

Pausadamente

K K K K   KE E   E   E   E   K K K K   KU U   U   U   U

A continuación se incluye un espacio para notas y una página con pentagramas para escribir.

NOTAS

TERMINAR EL SONIDO

El modo de terminar una nota puede estropear lo que hubiera sido una línea bien cantada. Como ejemplo, véase esta línea de una canción:

La música está escrita en *frases*, no una nota cada vez. Una frase musical puede relacionarse con una frase gramatical; y debe ejecutarse como una línea de sonido, no como varias notas individuales. En el ejemplo, «May each day in the week be a good day» es una frase, y el segundo «May» inicia una nueva línea. Se toma una rápida inspiración tras «good day», se necesite o no, con el fin de puntuar la música. Una «coma» en la «frase musical», por así decirlo.

El compositor indica el fraseado que desea, trazando una marca de frase, una línea larga y curva sobre las notas de la frase. La señal de frase es un buen recordatorio visual de que debemos cantar las notas en una línea de sonido larga, uniforme y sin rupturas.

Si estuviera cantando la primera frase, probablemente no querría cantarlo todo en el mismo volumen. Quizá empezaría tranquilamente, aumentaría hacia «good» y reduciría al final de la frase para hacer una línea de sonido musicalmente satisfactoria. Cualquiera que sea el volumen en que esté cantando cuando llegue a «good», tendrá que bajarlo gradualmente a nada si quiere dar un final uniforme a la frase. Și cantase «day» con el *mismo* volumen, el final

de la frase sería repentino y abrupto, como éste: day   en lugar de éste: day

El sonido debe desvanecerse gradualmente hasta que se detenga de modo natural. Este es el modo de terminar una nota, y debe tratar de terminar todas las frases similarmente (con la excepción obvia de aquellas en que se busque un efecto dramático).

Cuando cante en un dúo o trío, es aún más importante que las voces se desvanezcan de ese modo, para que no predomine uno de los cantantes y la «mezcla» o equilibrio se echen a perder.

He aquí otro ejemplo:

Durante este pasaje de la «Misa en B Menor» de Bach, la solista contralto ha de cantar más lento y bajo, y normalmente hace una larga pausa en la última nota, hasta que se desvanece gradualmente. Esta técnica de determinación gradual de la nota no resulta sencilla, y deberá practicarla cuidadosamente si quiere hacerlo a la perfección. Se consigue reduciendo continuamente la presión de la respiración hasta que la nota acaba por detenerse sin que casi se llegue a dar uno cuenta.

He aquí dos ejercicios que desarrollan esta técnica:

Lento

Trate cada par de notas como el final de una frase; haga una pausa breve en las comas; deje desvanecer el sonido en la segunda nota del par hasta que «desaparezca en el aire».

Su voz puede volverse un poco temblorosa mientras se va callando. Si es así, ello puede deberse probablemente a que al principio está siendo tímido y no hace uso de la cantidad *suficiente* de aire. Cante con confianza y mayor potencia, y verá cómo es más fácil de controlar el decrecimiento gradual de la respiración.

El procedimiento es el mismo que en el caso anterior.

Estos finales de frase con movimiento hacia arriba son más difíciles de cantar, lo que suele producir una nota plana si no es consciente del tono.

En este papel manuscrito, escriba algunos ejercicios similares específicos para su voz. Utilice todas las vocales, en toda su gama, e incluya también frases de su repertorio de música.

5. Hacia el canto olímpico

SACANDO EL MAXIMO PARTIDO DE LA VOZ QUE TENGA

Tras haber aprendido algo sobre la forma en que debe respirar, sostener e iniciar el sonido, veamos los modos de *utilizar* su voz, de desarrollarla y convertirla en un instrumento entrenado capaz de todo lo que exija la música. Pensaremos en su sonido, su gama y flexibilidad, su volumen, el poder que transmite, y su nervio.

Ha recibido el don de un instrumento, y utilizando la información de los siguientes capítulos aprenderá a «tocarlo».

Sin embargo, antes de empezar, me gustaría señalarle algo que puede ahorrarle mucha ansiedad y tiempo perdido: la voz que tiene no podrá cambiarla nunca por otra «diferente». Podrá mejorarse, ciertamente, pero sin alterar nunca su categoría básica.

Por ejemplo, si su voz actual es profunda y «oscura», con una gama de dos octavas que vaya desde un D bajo, no podrá hacer *nada* para cambiarla por la voz brillante de un tenor alto o soprano capaces de conseguir sin esfuerzo los C más altos. Digo esto porque conozco (¿y quién no?) a docenas de cantantes que se imaginan en papeles que no les convienen. Sus profesores los estimulan a veces a cantar música más alta o más «grande» de la que son capaces, con el resultado de que los demás se sienten violentos, el cantante desilusionado, y su voz queda dañada.

Si no está ahora dentro de las notas altas de Stevie Wonder, *nunca* lo estará. Y si no llega a acercarse a la profundidad de sonido o tono de las voces más bajas, nunca tendrá oportunidad de lograrlo. ¡Cuidado con quien le diga lo contrario! Su voz —su «color», su tamaño y su gama— ya está fabricada, no puede intercambiarla con otra ni podrá hacer nada que la cambie radicalmente. Sea sensato y realista con respecto a su potencial, acepte sus limitaciones y mejore lo que *tiene*.

¡No se desanime! Hay modos sutiles de desarrollar su voz y conseguir grandes ventajas. Su volumen y belleza pueden mejorarse, y hasta ampliar su gama en una o dos notas.

Empecemos por la resonancia: el proceso de resonificación o amplificación.

El sonido de un piano no lo dan sólo sus cuerdas. Cuando un martillo las golpea, el sonido creado es arrojado hacia atrás y ampliado por una tabla de sonorización de madera, y ése es el sonido que usted oye. Todos los instrumentos tienen algunos tipos de amplificador. En la guitarra acústica es el espacio que hay dentro del cuerpo del instrumento, y en la voz humana es el espacio que hay en su interior. Las cuerdas vocales dan el sonido básico, que es en realidad bastante débil, pero alcanza mayor volumen en el «túnel» de la garganta, la forma abovedada de la boca y el espacio del interior de la cabeza.

Se dice que la mayor parte de los cantantes tienen pocas cosas entre las orejas. ¡Y es muy cierto! Mire este dibujo:

Puede verse que hay mucho espacio abierto *encima* de la boca: está detrás de la nariz, que de hecho es su interior, y es mucho más grande de lo que podría pensar.

Los espacios que amplifican la voz básica son la garganta, la boca y el espacio de la nariz. La resonorización que se produce en estas «cámaras de eco» se llama a veces resonancia «de pecho» y resonancia «nasal» o «de cabeza». Con independencia del nombre que quiera darles, estas resonancias hacen el sonido y pueden desarrollarse para agrandarlo y embellecerlo.

Los términos de resonancia «nasal», «de cabeza» y «de pecho» son equívocos a veces: el de «nasal» implica una desafortunada característica vocal, y el de pecho está por *debajo* del nivel de las cuerdas vocales. ¿Hablamos entonces de resonancia «superior» e «inferior»? «Superior» se referiría a la del espacio nasal e «inferior» a todo lo de abajo. Ello podría sugerir una idea errónea: que las notas más altas de su voz están hechas sólo por la resonancia de la nariz, y que las notas inferiores procederían de la zona de la garganta. Todas las notas de su voz contienen resonancias de todos los espacios: no puede cerrar uno de ellos. Es cierto que, en determinados tonos, una zona de resonancia tiende a ser predominante, pero también es cierto que puede controlar su uso de la resonancia, desarrollándolo y «mezclándolo» según su deseo.

Resonancia superior para el espacio nasal e inferior para el espacio de la garganta y la boca.

Tratemos ahora de la primera.

RESONANCIA SUPERIOR

Los sonidos diferentes tienen diferentes cualidades. La canción de un pájaro es distinta, por ejemplo, de los sonidos de un cisne, y cualquiera puede distinguir una trompeta de una trompa francesa. De modo similar, la resonancia de la cavidad nasal tiene una cualidad diferente —un «color» diferente— de la resonancia de la garganta y la boca. Es un sonido más brillante, más «estrecho», más «puntiagudo» que el de la resonancia inferior. Cuando la haya desarrollado, añadirá brillantez a su voz, un «brillo» que le dará poder de transmisión. También le ayudará a cantar dentro del tono, y dará a sus notas bajas un núcleo de sonido enfocado. Es difícil de describir, pero lo oirá cuando se haya desarrollado.

Para desarrollarlo, habrá de ser consciente del espacio que hay detrás de la nariz y empezar a utilizarlo. El tarareo es la forma más obvia de activarlo. Tararee con base en los sonidos M, N, y sentirá cómo se hace el sonido en la cavidad nasal. Tararee escalas hacia arriba y hacia abajo o melodías —altas y bajas, fuertes y suaves—, sintiendo que está utilizando la resonancia más brillante y alta; de ese modo podrá activar mejor el aire nasal.

Otro buen ejercicio consiste en cerrar la nariz y los labios mientras tararea: esto parece estimular la resonancia. El echar el aire en breves explosiones a través de su nariz le ayudará a identificar ambos espacios.

Todo esto desarrolla la resonancia superior. Quizá estos ejercicios dirijan la corriente de aire desde las cuerdas vocales hacia el espacio nasal, y con el tiempo se añada más de esta resonancia a su voz de modo natural. Para ser honesto, he de decir que no sé cómo sucede exactamente, pero sucede. En poco tiempo notará ya una diferencia, y finalmente su voz desarrollará una cualidad más brillante y resonante.

Tararee todo lo que desee: en toda su gama, en escalas, lenta o rápidamente, como guste, pues no puede dañar su voz.

Tararee una nota, eleve la mejilla hasta una posición sonriente, trate de conseguir un buen zumbido detrás de la nariz, luego abra los labios y cante una vocal: I, o U si lo prefiere. El tarareo parece colocar el sonido en un lugar más alto de la cabeza, y cuando abra la boca y cante, la alta resonancia del tarareo continuará a través de la vocal.

Repita esto, y cuando esté abriendo los labios concéntrese en mantener el alto foco en la vocal. Su voz no tendrá un sonido nasal, sino uno brillante y sonoro. En un principio puede producirle dolor de cabeza: si suena bien lo está haciendo de modo apropiado. ¡El dolor de cabeza desaparecerá!

Haga muchas prácticas de este tipo, y *concéntrese*, para asegurarse de que la vocal que emite tiene su debido enfoque. Sienta la cualidad brillante y sonora que hay en el sonido; una sensación «conmovedora», como el sonido de campanilleo que se produce cuando golpea un triángulo, o el producido al golpear un cristal bien tallado. No fuerce el sonido; al principio tararee y cante suavemente, dejando que la resonancia vaya incrementándose y al mismo tiempo se enriquezca.

He aquí un buen ejercicio:

Muy lento

El objetivo es asegurar todo el tiempo un sonido brillante y sonoro. Primero obtenga un tarareo bien resonante, abriéndolo gradualmente a I... Luego mantenga la brillantez de I en A. Respire siempre que lo necesite.

Probablemente conseguirá mantener I con sonido brillante, pero le será más difícil con A.

Debe mantener todo el tiempo las mejillas altas en posición de sonrisa, apuntando la voz hacia el puente de la nariz. Finalmente, sentirá el sonido brillante y sonoro que desarrolla este tipo de ejercicios.

Repita este ejercicio, concentrándose en obtener una línea de resonancia de buena colocación, una raya de brillantez de sonido permanente en su voz.

Esta activación del aire dentro del espacio nasal es el único medio de garantizar un sonido brillante y vibrante a su voz. Recomiendo mucho la práctica de que hemos estado hablando a todos los cantantes, y especialmente a los que tengan voces bajas o sombrías. Experimente con su resonancia superior; «juegue» con ella en todas las sesiones de prácticas.

He aquí un ejercicio muy útil que hará que su voz se sienta y suene potente y vibrante. ¡También *le* dará una maravillosa sensación! Combina al mismo tiempo las prácticas de respiración, control respiratorio y resonancia.

Pasee durante media hora a paso vivo, inspirando y tarareando la expiración durante un número medido de pasos. Apoye la presión del aire saliente empujando hacia dentro los músculos del estómago, de modo que el tarareo permanezca mayor tiempo. Tararee ligeramente en un tono bastante alto y en líneas largas y sostenidas. Durante el paseo, haga otros ejercicios promotores de la resonancia: meta por la nariz el aire hasta su cabeza en ráfagas cortas, sóplelo del mismo modo, pruebe con M y N, tararee una nota media y baja. En otras palabras, experimente la resonancia de la cavidad nasal.

Al regresar se sentirá cansado; pero, si le es posible, empiece a cantar algo en lo que haya estado trabajando recientemente. Su voz habrá tenido un nuevo «florecimiento» y resultará sonora, resonante y vibrante. Sentirá que su sonido está bien localizado: alto y hacia delante. ¡Y percibirá una sensación muy agradable! *Esa* es la resonancia superior... ¡Búsquela y encuéntrela.

Otro buen ejercicio para abrillantar la voz es éste, escrito en Clave de Bajo para practicar un poco la lectura:

Muy lento

De nuevo, el objetivo es conseguir un sonido I ligero y brillante; no un sonido nasal, sino colocado alto enfocado en la nariz. Preceda el I con un tarareo, si eso le ayuda. Para empezar, elija una nota de la mitad de la gama de su voz. Cante con facilidad y ligereza y sienta la resonancia en el rostro. Manténgalo todo relajado (salvo su postura) y asegúrese de que su laringe está baja; no le permita subir.

Cuando esté satisfecho con la buena colocación de la I, introduzca gradualmente otras vocales. Precédalas con I o un tarareo y trasponga la frase para ejercitar toda su gama.

Me gustaría enfatizar de nuevo la importancia de lograr que la resonancia fuera amplia y rica. En sus esfuerzos para obtener un sonido brillante y localizado alto, puede verse tentado a forzar la presión de la respiración. No lo haga; si la resonancia no es correcta, no la corregirá forzándola: el exceso de fuerza dará un sonido de «resoplido» con resultados negativos. Sea paciente; cante con suavidad y lentitud y concéntrese en lograr que la cavidad nasal reverbere con sonido brillante. Esto acabará por producirse, y su voz sonará «más grande» y con mayor resonancia que ahora, pero sin esfuerzo extra. *¡Deje que la resonancia haga el esfuerzo!*

Me gustaría tratar ahora de la extensión de este sonido brillante y hacia delante a toda su gama vocal. Como mencioné antes, esta brillantez no tiene por qué darse *sólo* en las notas superiores. Existe la tendencia de que la resonancia alta sea predominante en las notas altas, pero es posible, y deseable, bajarla a las notas medias y bajas.

Las notas más bajas de su voz tienen más resonancia baja de la zona del pecho, y las notas más altas tienen más resonancia superior de la zona de la cabeza. Las notas bajas tienen un sonido más «espeso», y las altas más ligero.

¿Qué sucede, entonces, cuando canta una frase como ésta, constituida de saltos de una octava o más?

Las notas adyacentes sonarán alternativamente «espesas» y ligeras, desde el pecho y la cabeza, rompiendo la línea tersa de sonido en notas individuales de diferente cualidad. Una fea frase.

Y la siguiente, de Mozart, es suave en comparación con algunas de sus otras melodías. Podemos superar este problema cantando tales frases con la *misma* resonancia predominante en toda la frase (algunos cantantes dirían en el mismo «registro»). Ello significa, sin embargo, que tendremos que desarrollar la capacidad de llevar la resonancia alta y brillante a nuestas notas más bajas. He aquí un ejercicio que le ayudará:

Lento

El objetivo es obtener un sonido brillante en I; empiece con un tarareo si lo desea, y mantenga la resonancia alta en su voz hasta en las notas más bajas. I le resultará cómodo, pero cuando cambie a A, piense en la subida, mantenga las mejillas elevadas y obtenga un sonido brillante. No hay posibilidad de respirar en medio, por lo que deberá utilizar la mínima cantidad posible de aire. Empiece en el área superior de su voz, en donde pueda obtener un I brillante, y trasponga gradualmente el ejercicio hacia abajo, de modo que sus notas inferiores tengan un sonido bien enfocado, o colocado.

Los ejercicios de este tipo desarrollarán su capacidad de cantar notas altas y bajas con la misma resonancia y el mismo sonido, lo que significa que cuando esté cantando una frase de amplia gama, puede elegir añadir brillantez a las notas inferiores, cantando toda la frase con el mismo timbre y la misma sonoridad. Podrá obtener un sonido consistente y uniforme en toda su gama, sin las feas «rupturas» o «cambios de marcha».

El mantenimiento de la brillantez en su voz mientras canta una frase le resultará más sencillo si practica el canto de una escala con semitonos, que se conoce con el nombre de escala «cromática» —todas las notas blancas y negras de un teclado—. Quizá pueda componer su propio ejercicio con escalas cromáticas.

Una cuestión final. La resonancia superior bien desarrollada aumentará el poder de transmisión de su voz. Le dará un núcleo de sonido, un «foco» que transmita mucho mejor que una voz «mal colocada». Esto significa que le oirán las personas que se hallen en la última fila de la sala; y que si utiliza micrófono podrá situarse más lejos de él.

Evidentemente, la resonancia superior constituye una parte importante de la técnica de cualquier cantante, por lo que debería repasar este capítulo de vez en cuando, practicar los ejercicios, componer algunos y trabajarlos hasta que todo sea correcto. Pero incluso en ese momento deberá seguir trabajándolos, pues en esta técnica, como en las de los deportistas, si desprecia alguno de sus aspectos, aunque sólo sea por un mes, perderá su habilidad.

RESONANCIA INFERIOR

Aunque la resonancia nasal juega un importante papel en su voz, es un papel secundario. El amplificador principal, que da la resonancia inferior, es el espacio de la garganta y la boca. Son unos resonadores mayores que los de la cavidad nasal, y responsables, quizá, de tres cuartas partes de su sonido.

Los espacios de la garganta y la boca son, como dijimos, los resonadores inferiores, aunque reciben un poco de ayuda del pecho. Sé que la caja torácica está por debajo del nivel de las cuerdas vocales, pero, por alguna razón, las zonas más altas del pecho parecen vibrar «simpáticamente» con su voz. Algunos autores han sugerido que los huesos transmiten el sonido, y otros piensan que la misma cavidad del pecho es la resonadora. Desconozco cuál pueda ser la explicación, pero la moderna opinión científica está a favor de la vibración simpática desde el pecho. A veces se produce, ciertamente, una sensación de vibración en el pecho. Estoy seguro de que acabará sintiéndola.

La cualidad del sonido producido por la resonancia inferior es «más ancha» que la del espacio nasal. Como era de esperar en unos resonadores más espaciosos, el sonido es «más espeso», pesado, oscuro y cálido, del mismo modo que el sonido de los bajos es más «grueso» que la calidad «más delgada» que produce el óboe.

El sonido que da ahora su voz se produce principalmente desde la garganta y la boca; pero quizá no esté utilizando todo el potencial de esos espacios. Puede desarrollar la resonancia inferior para añadir cuerpo y color a su voz, y el modo de hacerlo consiste en abrir esos espacios ajustables todo lo posible mientras le resulte cómodo. Ya he mencionado la posibilidad de dejar caer la mandíbula inferior para aumentar el espacio de su boca; todo lo que tiene que hacer ahora es habituarse a mantener abierta la garganta mientras está cantando.

El túnel existente entre la nuez (en donde están las cuerdas vocales) y la parte posterior de la garganta es ajustable. Tóquese la garganta, o mírasela en un espejo, mientras traga y bosteza. Se dará cuenta de que la longitud y anchura de la columna pueden alterarse. Para cantar, la garganta debe ser todo lo profunda y ancha que le sea cómodo. Pero hay otros modos de conseguir esa posición profunda y ancha de la garganta. Uno de ellos es el bostezo, otro consiste en imaginar que va a estornudar, una tercera sensación es la de simular tragarse una pelota de tenis; y si necesita otro, trate de imaginar que hay una patata caliente en su boca. Todos ellos lograrán el mismo objetivo: aumentarán la anchura de su garganta, elevarán el techo de su boca, produciendo una bóveda más espaciosa, y mantendrán baja la caja de las voces.

Pruebe ahora estas posiciones; cómoda y relajadamente, pero con una gran caverna como espacio. Inténtelas con una abertura de dientes de la anchura de un dedo, como cuando está cantando la vocal I; puede abrir la garganta con independencia de los dientes. Imagine estar cantando y bostezando al mismo tiempo. Esa es la posición para cantar.

Abra bien la boca, ponga una posición profunda y ancha en la garganta y cante unas cuantas notas bajas con A. La sensación resultante es la de estar relajado y con una gran cantidad de espacio disponible: como la alta nave de una catedral.

Esta posición le proporciona el máximo volumen de aire resonador, por lo que debe convertirse para usted en un segundo estado natural si desea que su voz tenga cuerpo. (Es imposible cantar todas las vocales en todos los tonos con la boca bien abierta: U e I, por ejemplo, necesitan un espacio bucal más cerrado. Pero mientras esté cantando, mantenga la garganta y la boca lo más abiertas que le sea posible, dentro de lo que le resulte cómodo.)

Practique la apertura de los resonadores inferiores mientras canta esta frase:

De manera cómoda y relajada, con una garganta ancha en forma de bostezo, cante A primero y luego pruebe las posiciones más cerradas de I o U. Cante el ejercicio en diferentes tonalidades, de modo que utilice toda su gama, y componga usted mismo algunas frases más. Utilice todas las vocales de modo que tome consciencia de los ajustes de espacio que tiene que realizar.

La sensación de vibración pectoral que mencioné antes podrá sentirla si habla o canta en su nota más baja. Trate de imitar el ronroneo de un gato o el zumbido de un abejorro.

Sentirá esta vibración simpática en la parte superior del pecho y la parte inferior del cuello, como si su mismo pecho estuviera vibrando; algo bastante parecido al estremecimiento del suelo cuando suena música de rock fuerte o un órgano grande de iglesia.

Si realiza ese zumbido en una nota baja, sienta la vibración del pecho, abra la boca y cante con A; su sonido tendrá una nueva cualidad oscura, pesada y poderosa que le dará la impresión de ser más bajo de tono de lo que realmente es.

Todas las voces pueden tener algo de esta cualidad pectoral, y mediante su desarrollo quizá añada otro «color» útil a su repertorio de sonidos. Ensancha y oscurece su voz —lo que es útil en algunas frases dramáticas y sombrías— y puede llevarla a las notas superiores si quiere un sonido más grande en ellas. Practique haciendo el zumbido de abejorro en el pecho, o el ronroneo si le es más fácil, hasta que logre sentir la vibración y pueda abrirse a una vocal; A es buena para este caso. Desarrolle esta sensación y añádala a todas las vocales en las notas inferiores de su voz. Cuando haya desarrollado la capacidad de añadir esta cualidad pectoral a su nota más baja a voluntad, trate de llevarla a las notas medias de su gama con este ejercicio:

ZUMBIDO... A...

Regule el ejercicio de modo que la nota más baja sea la inferior de su voz. La clave en que la he escrito, B bemol, es conveniente para voces altas, como mezzo-sopranos o tenores, las voces más bajas necesitarán cantar en F o E bemol.

Empiece por conseguir el zumbido del abejorro o el ronroneo del gato en la parte superior del pecho. Cuando sienta potentemente esa vibración, abra bien la boca, sin abandonar la vibración, y cante con A. Luego traslade la resonancia del pecho a todas las notas del ejercicio.

Cuando se sienta satisfecho por lo que respecta a estas cinco notas, amplíe la frase a una octava o más para añadir peso a sus notas medias y superiores. (No a las demasiado altas; sus tres o cuatro notas más altas no debe intentarlas desde el pecho, pues podría producir tensión en su voz.)

Al final de este capítulo hay pentagramas vacíos para que escriba sus propios ejercicios. Utilice todas las vocales, no sólo A, y lleve la resonancia inferior del pecho a las notas más altas.

Hemos empleado mucho tiempo hablando de la resonancia, pero espero que le haya resultado interesante. Es verdaderamente una parte importante de su técnica vocal, quizá la más importante, pues conforma su sonido, su poder de transmisión y su variedad de «colores» expresivos. Todo a partir de este material sobre espacios nasales, bostezos y abejorros en su pecho... ¡Estas cosas forman su voz!

Trabaje este capítulo todo lo que pueda durante el tiempo que quiera. ¡Le prometo que le complacerá la mejora, y le garantizo que obtendrá buenos resultados!

Gama

Antes de pasar a algunas gimnasias vocales, quiero tratar brevemente del alcance de la voz.

Como mencioné antes, es poco probable que cambie significativamente la voz que tiene ahora, tanto de tipo como en cuanto a la gama. El aparato vocal que recibió al nacer estaba completamente desarrollado al final de la segunda década; hay muy pocos casos de voces que hayan cambiado su alcance o categoría después de esa edad.

Debe aceptar que la gama que posee ahora es aproximadamente la que tendrá también. Lamento desilusionarle si tenía esperanzas de cantar C altos, pues todo lo que podrá conseguir, con mucha lucha, es un E bemol. Pero ésa es la situación. Si trata de «corregir» hasta ese punto las intenciones de la naturaleza, arruinará su voz.

Su gama natural debe ser de dos octavas o un poco menos. Lo que da trece o catorce notas blancas consecutivas en un piano. Quizá no todas esas notas le resulten cómodas, pero desarrollando su técnica podrá cantarlas fácilmente. Y dos octavas bastarán para casi todo lo que le piden cantar. Todas las canciones populares pueden cantarse fácilmente con esa gama; y las arias y recitativos de las óperas han sido escritos siempre para tipos específicos de voces, las cuales tienen, y han tenido siempre, ese alcance.

En la llamada música «clásica», esos tipos de voces se denominan soprano, contralto, tenor y bajo. Hay algunas variaciones —mezzo-soprano y barítono, entre otras—, pero las categorías naturales de voces son estas cuatro: S, A, T y B.

La gama del soprano es de unas dos octavas hacia arriba a partir del C medio; la del contralto, de cuatro notas blancas más bajo, es decir, de F a F. En las voces masculinas, el tenor se halla aproximadamente una octava más abajo del soprano, y la gama del bajo es una octava inferior a la del contralto. Todas pueden variar en una o dos notas.

Estas son así en la música clásica: tales categorías no se utilizan en ninguno de los otros tipos de canto; pero todas las voces, tanto las masculinas como las femeninas, y cualquiera que sea el tipo de música que cante, caen dentro de esas categorías.

Por tanto, si su voz es saludable, tendrá una gama natural de trece o catorce notas blancas. Algunas personas afortunadas tienen una o dos notas de más, y nunca he oído hablar de una persona con buena salud que no sea capaz de producir algún sonido en doce o trece notas consecutivas.

Y digo «algún sonido», porque la dificultad invariable, por lo que respecta a la gama, no estriba en que no le sea posible a usted cantar en una gama lo bastante amplia, sino en que no pueda hacerlo cómodamente. Y eso es un problema de técnica, no de gama. Las voces de «gama corta» no parecen ser muy comunes.

Si sus técnicas de ataque, respiración y resonancia son cómodas y relajadas, no tendrá que quejarse en la mayor parte de su gama. Quizá los extremos superiores e inferiores no sean correctos aún, pero lo serán con el tiempo.

Parece ser, por tanto, que los problemas reales sobre nuestras notas superiores e inferiores raramente existen. Los únicos problemas que tenemos son: 1) que algunas notas resultan incómodas, especialmente las más altas y bajas; 2) que las canciones se imprimen en una tonalidad «media» que no es conveniente para algunas voces. El primer problema es temporal, pues podemos desarrollar nuestra técnica para cantar fácilmente todas las notas de nuestra gama; y el segundo problema se puede eliminar de modo inmediato, trasponiendo la música a una tonalidad más cómoda.

Si cree que necesita trabajar su gama, empiece ahora con un programa destinado a perfeccionar su técnica vocal. Concéntrese en un ataque sencillo y relajado, en el control de la respiración y en la resonancia —estos tres factores en particular—, trabajando primero con la sección cómoda de su voz. Empiece con los ejercicios mencionados en los capítulos anteriores, cantándolos en las partes bajas y medianas de su voz, aproximadamente una extensión de unas ocho notas. Gradualmente, en un período de semanas o meses, amplíe la gama de estos ejercicios de perfeccionamiento de la técnica para incluir las notas superiores. Si su canto es correcto en las notas medias e inferiores, con el tiempo no tendrá dificultad con las superiores.

Lo que no puede cambiar es el alcance natural de su voz. Si tiene una gama de tenor, tratar de bajar sus tonos para cantar las notas inferiores de los bajos es un experimento destinado al fracaso que le privará, además, de la capacidad de controlar las notas superiores, y viceversa. No puede «estirar» su voz hasta ese punto, pero es posible mejorar su control del canto de las notas superiores e inferiores.

Por lo que a las notas superiores concierne, descubrirá que el tarareo sostenido de notas altas durante un cierto período le ayudará a no sentir como una lucha la parte superior de su voz. El tarareo sitúa su voz en un nivel superior, haciendo más seguras las notas más altas. Trate de tararear o cantar una vocal en una de sus notas superiores en voz baja; si no lo logra de ese modo, no deberá cantarlas en absoluto. Mantenga baja, pero bien apoyada, la presión del aire, y sostenga el sonido durante veinte segundos o más.

Este tipo de ejercicio le será muy útil; y he aquí otro que también es beneficioso:

Bastante rápido

A...

Esta frase se extiende por doce notas, por lo que debe empezar en su nota baja más cómoda, y tendrá que ser capaz de cantarlo cómodamente. Si puede, vaya subiendo el ejercicio de semitono en semitono hasta que alcance sus notas más altas. Progrese gradualmente, y no eleve la nota hasta que se sienta cómodo en la tonalidad anterior.

Si no puede enfrentarse fácilmente a doce notas, empiece con un ejercicio menos exigente, como éste:

Vuelvo a repetir que *sólo* deberá cambiar cuando se sienta cómodo en todas las notas.

Como sucede con todos los ejercicios de este libro de trabajo, estos dos están destinados a su voz, no a la mía, por lo que ha de cantarlos en las tonalidades más convenientes para usted, trasportándolos si es necesario. Componga frases similares y cántelas con todas las vocales.

Resulta menos problemático cantar con facilidad las notas inferiores. Hablando en términos generales, hay muchas menos dificultades con las notas inferiores. ¡Son algunos de los semitonos superiores los que producen las notas partidas y los semblantes enrojecidos! Sin embargo, hay trabajos útiles que hacer en la parte inferior de nuestra voz, pues podemos dar a esas notas una seguridad y fuerza impresionantes.

Como sucedía con las notas superiores, al tararear las notas bajas durante un período de tiempo estabilizará algunos semitonos inferiores que pueden resultar vacilantes ahora. Póngalo a prueba como experimento durante una semana, sobre todo si está teniendo algún problema con notas bajas. Dedíquese a tarareos y vocales en el extremo inferior de su voz: cante una gama aproximada de una quinta. ¡Se sorprenderá de la facilidad con que canta las notas bajas a la semana siguiente!

El verdadero secreto de obtener correctamente su gama inferior estriba en la relajación y el espacio. Muchas personas empiezan a empujar desde la garganta, con lo que constriñen ese espacio. Bostece y relájese, dé a las notas mucho espacio, prodúzcalas en resonancia con el pecho; de este modo obtendrá el máximo de sus notas inferiores. Pruébelo con una frase simple como ésta:

Lento

La nota del fondo debe ser la más baja de las suyas. Cómodo, relajado y espacioso todo el tiempo, sin forzar nada. Empiece con las vocales abiertas y luego pruebe las más cerradas, I y U.

Los ejercicios de que hemos hablado en esta sección le serán de alguna ayuda a su gama. Aunque no hay modo de estirar su voz más de una o dos notas, este tipo de práctica añadirá una notable seguridad a sus extremos superiores e inferiores. Desarrollará un incrementado control sobre las frases que están en la parte superior de su voz, y «dirá» las notas bajas claramente. A lo que apuntamos es a conseguir dos octavas de sonidos cómodos y bien producidos: con esa gama puede enfrentarse a cualquier música digna de cantarse.

AGILIDAD - ATLETISMO - GIMNASIA

Hasta ahora sólo hemos hablado de movimientos lentos y frases sostenidas, pues ambas cosas son muy importantes para el establecimiento de una buena técnica vocal. Todos los estilos de canto, sin embargo, requieren más de su habilidad que ésta: cualquiera que sea el tipo de música que cante, habrá ocasiones en que tendrá que cantar pasajes de movimiento rápido, trinos, «adornos», series de notas, escalas, etc.; es decir, música que le exige flexibilidad vocal.

En la música popular hay numerosos pequeños «ornamentos» en algunas de las notas, como las notas de «blue», las «flexionadas» y las de gracia. Sin embargo, el tipo de pasaje que realmente le pone a prueba son los de esta clase:

Rápido

re - joice ————————————————— great - ly

Todo cantante de coro lo habrá reconocido como uno de los numerosos pasajes difíciles del «Mesías» de Haendel. Este tipo de flexibilidad es un prerrequisito para el canto, especialmente en el caso de la música de los siglos XVII y XVIII.

El principal punto que debemos recordar es que para cantar cualquier frase que requiera velocidad o agilidad, habrá de utilizar un «toque» ligero. La voz de resonancia inferior y pesada que utilizaría para cantar pasajes sostenidos y anchos no se movería con la rapidez necesaria, del mismo modo que los levantadores de pesos pesados no podrían competir en 100 metros vallas. Por tanto, habrá de aligerar la voz, pensar en lo alto y utilizar la resonancia superior en todas las canciones ágiles. Cuando practique cualquier frase difícil como la del último ejemplo, rebaje un poco el tempo hasta una velocidad que pueda dominar, y vaya aumentándola gradualmente. Para este trabajo le resultaría útil un metrónomo.

El tipo más común de las frases que necesita trabajar es la serie de notas semejante a una escala de movimiento rápido, que casi sin excepción es la decoración de una melodía simple. La del «Mesías», por ejemplo, es una versión más elaborada de ésta:

Si mira atentamente a estas series, encontrará una melodía en alguna parte del centro. Téngalo en cuenta cuando cante cualquier pasaje largo y florido, y trate de enfatizar la melodía. De ese modo dará a la línea un propósito; dirección sin la cual el pasaje resultaría apagado.

He aquí dos ejercicios que le enseñan cómo debe practicar:

Rápido

El objetivo es articular todas las notas con claridad, pero cantando una frase, no unas notas individuales, dándole algún movimiento o dirección con acentos en cada grupo de cuatro u ocho notas para enfatizar la «melodía». En el segundo ejercicio, por ejemplo, las notas de la «melodía» son la primera de cada grupo de cuatro —una escala mayor—, por lo que ha de acentuar cada nota primera para dar ímpetu a la línea, sin olvidarse de utilizar la voz ligera de cabeza.

Elija de su repertorio pasajes de este tipo y subdivídalos en melodías simples. Cante primero la melodía, añada luego lentamente las notas de decoración y, gradualmente, lleve el tempo hasta su velocidad correcta. Descubrirá que este tipo de práctica le será de gran ayuda para desarrollar su capacidad de cantar con claridad notas de movimiento rápido.

Los otros grupos de notas tratados en esta sección son el trino, el giro, el mordente y unos pocos más —algunos de ellos un poco complicados—, que puede encontrar bajo el encabezamiento de «Ornamentos» en cualquier buen diccionario de música. Son todos variaciones de pequeñas «sacudidas» sobre las notas adyacentes, muy queridas de los compositores del siglo XVIII y utilizadas hoy en una forma más simple —y a veces extremadamente atractiva— por los mejores cantantes populares. Así se representan:

EL TRINO   EL GIRO   EL MORDENTE

Todos tienen una función similar: embellecer o decorar una nota mediante la repetición rápida de ésta y de sus notas adyacentes.

Al practicar estos ornamentos deberá evitar nuevamente la pesada voz pectoral, y su objetivo será articular las notas claramente sin disminuir su paso rápido. Recuerde que se trata de grupos decorativos, no de notas esenciales de la melodía.

La ejecución apropiada de estos ornamentos se desarrollará trabajando gradualmente la velocidad desde un paso lento al principio. Empiece con un ejercicio como éste

Lento

para el trino y algo similar, que componga usted mismo, para el giro.

Para esto le será de ayuda un metrónomo: empiece lentamente a una negra = 60, y aumente gradualmente la velocidad hasta alcanzar la de negra = 120. Estos grupos de ornamentos son sólo algunos de los tipos existentes. Hay otros en grupos de tres, cinco y seis, y en su práctica también puede incluir notas staccato e intervalos más amplios.

Si le gusta hacer algún trabajo de investigación, ¿cómo averiguar los otros ornamentos? Componga algunos ejercicios basados en ellos y haga un diagrama de su progreso con ellos en su canto claro a velocidades cada vez mayores. Al final de este capítulo hay suficientes páginas en blanco para sus gráficos, diagramas y ejercicios.

RESUMEN/NOTAS/DIAGRAMAS

6. La articulación

Para emitir bien el sonido se requiere una buena articulación y dar la forma correspondiente a cada una de las vocales y consonantes.

La formación de las vocales es debida a la capacidad del resonador de la boca que se obtiene por el avance o retroceso de la lengua, que es el principal órgano en la formación de las vocales. La caja de resonancia bucal, la abertura de los labios y la separación de los maxilares son, sin embargo, poderosos auxiliares para la buena emisión de las vocales y resultan indispensables para el canto.

LA EJERCITACION EN LAS VOCALES

Orden de estudio de las vocales U, O, A, E, I

Desde el principio es muy importante establecer un orden en el estudio de las vocales, pues no son todas aptas para adquirir la buena emisión. Unas, como la E y la I, presentan escollos que no sería fácil superar, o por lo menos dificultarían el progreso. La misma A no es la más indicada para empezar si no se ha adquirido antes la resonancia de la voz hacia delante.

Así pues, para empezar proponemos el orden que nos brinda el abrir y cerrar la boca, que es así mismo el de más fácil comprensión y el más libre de defectos. Al abrir: U, O, A, y al cerrar: E, I.

Cuando se haya logrado emitir bien la U, ayudado de la resonancia de la M, se ha de procurar emitir las demás vocales con la misma sonoridad. No resulta fácil al principio.

Aparecen a menudo los defectos de las malas emisiones, como: guturales, nasales, excesivamente duras o quebradas, etc., sobre todo en las vocales E, I.

Durante todo el primer período de lecciones conviene insistir mucho en la resonancia de la M y no dejarla hasta que se note una gran seguridad en la emisión igual de todas las vocales.

POSICIONES DE LA BOCA PARA LA BUENA EMISION DE LAS VOCALES U, O, A, E, I

U. Para la emisión de la U se requiere muy poca abertura de la boca, que adopta la forma redondeada. Los labios hacia delante, un poco separados de los dientes, que también se separan. La mandíbula inferior se baja un poco. Si los labios no se adelantan y redondean y no se baja la mandíbula, el sonido sale amorfo e inconsistente. Un ejercicio práctico para adquirir la posición de los labios en la emisión de la U es pronunciar la U echando los labios hacia fuera y bajando un poco la mandíbula inferior, lo que se puede hacer para controlarlo poniendo la mano en el mentón. Hecho este movimiento, volver a la posición normal. Así se repite varias veces. Esto contribuye a que tenga más valor el sonido.

La lengua retrocede y forma la estrechez al fondo del paladar. Cuídese que este movimiento no sea motivo de que resuene en la garganta, pues se emitiría un sonido gutural. Procúrese que el sonido vaya directamente hacia delante. Se debe experimentar la resonancia en la región de los dientes y de los labios.

Evítese el extremo opuesto, de hacerla «ventosa», como acontece cuando se emite sin colocarla y sin estallarla contra los dientes.

La U mal pronunciada tiene a menudo el sonido de O, o de U francesa. Se evitará insistiendo en la buena posición de los labios y boca y en el apoyo de la voz hacia delante.

La U, como todas las demás vocales, puede ser muy rica en sonoridad si se observa la buena posición y la emisión de cabeza, y tiene la ventaja de ser la más adecuada para la voz de cabeza, sobre todo en los principios, y con ella se logra lo que con otras vocales no se puede adquirir, como hemos visto al tratar de las «notas de paso».

O. Una vez emitida la U se pasa luego al sonido de la O. Esta se obtiene abriendo un poco más los labios y la boca en forma de O. El istmo de la lengua con la bóveda del paladar se realiza un poco más al exterior que para la U.

La vocal O es la que da colorido a las demás vocales bien emitidas. Sin embargo, puede ser la causante de una emisión oscura.

Para no incurrir en tal defecto, la O debe ser sonora, llena y bien redonda, que no resulte opaca u oscura. Por eso, evítese la sonoridad de U, especialmente en los graves.

Los que pronuncian perezosamente tienden a desfigurar las vocales, porque olvidan los movimientos necesarios de los labios y de la boca y la O es una de las vocales más susceptibles de cambio. No redondean los labios, que permanecen sólo entreabiertos, no ensanchan el interior de la boca bajando la mandíbula inferior y tampoco se esfuerzan en levantar el velo del paladar. En fin, que emiten una O parecida a una A indefinida.

A. Cuando ya se ha obtenido la buena emisión de la O, se pasa al sonido de la A. La buena emisión de la A se logra abriendo la boca un poco más de lo que se hace para la O. La abertura ha de ser de arriba y abajo, en forma ojival, de modo que se puedan introducir con facilidad dos dedos uno encima del otro. La mandíbula debe bajar mucho, escondidos los dientes inferiores y descubiertos los incisivos superiores. La cavidad para la A es toda la boca, y por lo mismo la resonancia ha de empezar desde el fondo, levantando bien el velo del paladar.

Si la posición de la boca y labios es correcta y el velo del paladar se levanta bien, la sonoridad de la A resultará redondeada y aterciopelada. Se habrá dado con el tipo de la voz bien impostada.

Ayudará mucho a hallar la sonoridad tipo pensar en la O, e insistir en que abran la boca más de dentro que de fuera. Esta idea hará levantar bien el velo del paladar.

Sobre todo, la vocal A redondeada debe ser la vocal tipo para todos los ejercicios. Las demás vocales se ejercitarán siempre acompañadas de ella con más o menos frecuencia para irlas impostando con la misma sonoridad merced a su continuo contacto y a su combinación.

De una mala posición de la boca en la emisión de la A pueden originarse algunos defectos.

Como se ha dicho ya al hablar de la emisión excesivamente clara de la voz, ésta es debida, además de la mala posición de la lengua, a la abertura lateral de la boca.

De no abrirse bastante, hasta parecerse a la abertura de la o, todas las aes tendrán la sonoridad de la O y la voz resultará oscura.

E. El estudio de esta vocal ha de empezarse con mucha precaución, pues ofrece ciertas dificultades que podrían menguar o anular el trabajo de emisión de las otras vocales.

Para pronunciar bien la E debe abrirse un poco la boca, de suerte que entre los dientes pueda pasar la lengua. Los labios un poco separados. La punta de la lengua toca los incisivos inferiores y sus lados están en contacto con las paredes de la bóveda del paladar para formar el istmo.

A los que aún no han aprendido a levantar el velo del paladar, la emisión de la E siempre les resulta difícil. Emiten un sonido excesivamente claro y quebrado, parecido al balar de los corderos.

Para lograr desde el principio una buena emisión deben cantarla muy suave y con la consonante M.

Si aún tienden a hacerla demasiado clara, exagérese la resonancia de la M hacia delante de la cara. Conviene siempre inculcar que se levante el velo del paladar haciendo el mismo gesto que si se fuese a bostezar. Quizá al principio no se consiga este movimiento, y por lo tanto convendrá imaginárselo.

A fin de que la E salga sonora se adoptará, como hemos dicho, la posición de prepararse para un bostezo. Conviene recordarlo particularmente en los agudos, cuando la E requiere más caja de resonancia. Entonces la E debe sonar más abierta.

No se olvide que uno de los sistemas para lograr la buena emisión de la E es el estudio simultáneo de las vocales acompañadas de la resonancia M.

I. Parecida a la E, la emisión de la I suele ser al principio defectuosa. Al comenzar su estudio se requiere mucha atención, procurando que, si no es posible de momento una buena sonoridad, por lo menos se eliminen los defectos que le son inherentes.

Para la I, la cavidad bucal se reduce al mínimo; en cambio, aumenta la de la faringe. La lengua forma con el paladar la estrechez muy cerca de los dientes. Su punta oprime los incisivos inferiores. Los dientes se hallan muy acercados, sin llegar al contacto. En cambio los labios están separados adoptando la posición de sonreír. El velo del paladar, siempre levantado.

Lo mismo que la E, la I conviene que sea redondeada mediante la elevación del velo, de lo contrario saldría cascada y punzante. Es indispensable la posición levantada del velo en las notas agudas. Además, como no es posible la buena pronunciación en los agudos, se le debe dar un poco la forma de E abierta. Pero debe procurarse pensar en la I a fin de que resulte lo menos deformada posible.

La I es la vocal más adecuada para dirigir la voz hacia delante, hacerla estallar en el paladar y para levantar su velo. Esto es comprensible, pues para la I el aire espirado halla más resistencia, por ser la abertura de la estrechez mucho más pequeña y, por lo tanto, para que suene como es debido el aire sonoro espirado ha de percutir con fuerza contra el paladar, en el lugar de la zona de articulación del sonido. Pero para lograrlo, la I debe sonar verdadera I. Para lo cual conviene que la lengua se mantenga fija en su posición, de otro modo el sonido resultaría indeciso y perdería eficacia.

Cuando la posición de la lengua no es la que exige la I, el sonido de I se parece al de la E. La emisión de la voz y el texto resulta perjudicado. En los agudos, como para la E, debe cambiarse la posición de la boca y de la lengua a fin de que suene como una I parecida a la E. Pero a pesar de la posición de E que se da a la boca, se debe pensar en pronunciar I, como se ha dicho.

En la pronunciación de la I, como en la de la E, suele aparecer el defecto de emitirla con los dientes apretados y los labios muy abiertos. Como quiera que las causas y los efectos son parecidos al mismo caso de la E, se adoptará idéntico sistema de corrección.

Como se ha podido ver, el trabajo de la emisión de las vocales es de suma importancia para la impostación de la voz.

Casi todo el trabajo de impostación consiste en llegar a unificar la sonoridad del timbre de la voz en las diversas vocales. Estas, sin perder su color típico, se emiten con uniformidad, sin estridores. El paso de una a otra será suave, con naturalidad, semejante al paso armónico y suave de los colores del arco iris.

Esto no se consigue sin un trabajo constante de las vocales, tratadas en particular cada una de ellas y combinadas en todas sus formas.

Quien haya logrado dominar esta parte de la impostación habrá adelantado mucho en la educación de la voz.

DIPTONGOS

La mayor parte de las lenguas tienen diptongos o mezclas de vocales.

Cada una de las vocales necesita un ajuste *ligeramente* diferente en la boca y la garganta. Tóquese la nuez mientras canta las vocales y observará los movimientos de la laringe, además de los ajustes de la mandíbula y labios. Cada sonido vocálico tiene una posición diferente, ¿no es cierto? Y a menos que esos movimientos se hagan deliberadamente, no son lo bastante distintos para producir vocales claras y puras. (Esto también es cierto cuando hablamos.)

Por tanto, cuando cante un diptongo habrá de hacer un ajuste de la boca en la segunda vocal, y la pureza de las dos vocales vendrá dada por la movilidad de su boca. Es necesario un ajuste consciente para producir un buen diptongo, por lo que le recomiendo que practique cantando estos pares de mezclas de vocales.

Como las vocales son varias, hay muchas posibilidades de diptongos diferentes. Quizá pueda averiguar todas las combinaciones y componer ejercicios sobre la mezcla de vocales. He aquí uno para que pueda empezar:

La otra cuestión relativa a los diptongos es que sus dos vocales deben darse en el ritmo del discurso para que suenen naturales. Cuando pronunciamos un diptongo, enfatizamos la primera vocal y no la segunda; el primer sonido es también el más largo. En «shine», por ejemplo, el acento y la longitud está sobre A, e I es menos importante. Pero cuando cantamos «shine», a menudo oímos

con la segunda vocal acaparando la mayor parte de la longitud. Me resulta algo feo. Al hablar, debería sonar aproximadamente así:

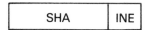

La mayor parte del énfasis y longitud están en la primera vocal, mientras que la segunda se coloca al final para pronunciar la palabra claramente. Por tanto, cuando esta palabra se canta más inteligentemente, suena algo así:

Piense en los diptongos y experimente para encontrar su mejor articulación.

CONSONANTES

El problema de las consonantes es que si no se molesta lo suficiente por ellas sus palabras no serán entendidas, pero si les da una importancia excesiva su línea de sonido quedará rota. Deben ser claras, pero sin provocar obstrucción; debe pronunciarse de forma concreta y rápida, lo que requiere algo de flexibilidad en la lengua, garganta y labios.

Si la cuerda de tender la ropa es la frase uniforme que está cantando, las consonantes serían las pinzas. Las vocales hacen el sonido, y las consonantes hacen inteligibles las palabras, sin interferir demasiado en la línea de sonido.

Así | C | V | C | No así | C | V | C |

Todas las lenguas tienen consonantes suficientes para constituir un problema, ¡pero el alemán es verdaderamente una amenaza! Vea este pasaje de una canción de Schubert:

Es bastante difícil de pronunciarlo hablando, pero cuando esté cantando tendrá que hacer un verdadero esfuerzo para pronunciar esos racimos de consonantes con claridad y rapidez sin estropear la lisura de la frase. Y, desde luego, hay que meterlas *antes* del pulso. En la palabra «Klage», la A suena *en* el primer pulso, y por tanto K y L han de colocarse delante.

Estas cosas necesitan mucha práctica... ¡Y paciencia!

Otro aspecto de las consonantes, que es a veces despreciado, es el de que algunas de ellas tienen un tono: han de ser «cantadas» en una nota particular. No son muchas las que tienen tono, pues la mayor parte de ellas son enunciadas por la garganta, lengua, labios y dientes, como K, T y F. Pero cinco de ellas tienen un tono particular: L, M, N, R y Z. (También podrían incluirse V y W.) A estas consonantes se les llama a veces consonantes «sonoras» o «tonalizadas».

El problema que hay que evitar cuando se cantan estas cinco consonantes es el de cantarlas en un tono diferente al de la consonante que le sigue:

Lord

Si canta la L de «Lord» en un tono diferente al de OR como suele suceder, se escucha un «golpe» feo. Suena de este modo:

L — ord

Todas las consonantes sonoras pueden producir este problema, pero la peor de todas es la R arrastrada. La R ha de rodarse un poco, produciendo un ruido bastante alto. Por tanto, cuando es sonora en una nota diferente a la de la vocal siguiente, el sonido es terrible. Sea particularmente consciente de este tipo de cosas:

Rex   tre-men - dæ ma - je - sta - tis

Estas dos R arrastradas de la bien conocida frase del «Requiem» de Verdi son muy expuestas. El deslucido deslizamiento de las dos primeras notas produciría violencia en la representación.

Si no había sido consciente hasta ahora de las consonantes sonoras, o si quiere mejorar su modo de cantarlas, practique estas cinco consonantes con las notas, pero siguiéndolas de una vocal conveniente. De este modo:

Cuando la consonante y la vocal pueden cantarse en el mismo tono, reduzca la longitud de la consonante a su duración natural.

Por tanto, hay dos cuestiones acerca de las consonantes: clara articulación y tonalización. Sólo son pequeños detalles, pero mejoran considerablemente su canto.

Para cubrir las 8.000 lenguas y dialectos diferentes que se hablan hoy día en el mundo haría falta una enciclopedia y una persona más inteligente que yo. Pero las vocales y consonantes de que hemos hablado cubrirán la mayor parte de las lenguas en que le pedirán que cante. Hasta que todos hablemos esperanto, si habla, o tiene que cantar en una lengua que contenga vocales y consonantes no mencionadas aquí, añada las vocales y consonantes extras a sus ejercicios y trabájelas en sus sesiones de ensayos.

EL CANTO EN LEGATO

Para finalizar esta sección, incluimos el canto en legato, otra faceta de la habilidad musical y vocal que falta en ocasiones, incluso entre los mejores cantantes.

El término *legato* significa uniforme y sin romper: es lo opuesto de *staccato,* que es lo breve y separado. Estos dos estilos opuestos de ejecutar música quedan demostrados por un instrumento sostenedor, como el órgano, y otro de percusión, como las campanas tubulares o el xilófono. El primero da un sonido largo, uniforme y sostenido, y el de percusión es golpeado, produciendo notas desconectadas que desaparecen inmediatamente.

Como la música vocal tiene que ver con el significado de las palabras, y no sólo con sonidos, hemos de cantar *frases* de palabras, no palabras individuales; frases de sonidos, no notas individuales. El canto en legato es el canto inteligible, y debemos cantar siempre frases sostenidas, salvo cuando el compositor exige staccato para lograr un efecto.

Ya sé que cuando está cantando tiene que pensar en muchas otras cosas, como el tempo, tono, en las vocales, y en mirar al director, pero es maravilloso escuchar una línea de sonido estable, sostenida y expansiva... ¡Y cantarla!

He aquí una frase que parece causar dificultades. Aún no la he oído cantar de modo uniforme:

Las tres primeras notas de esta frase del villancico «Once in Royal David's City» *deben* ser sostenidas, pues en caso contrario las palabras se separan así: stood, a low, ly, como si las notas estuvieran sonando en un xilófono. Siempre se canta mal. ¡Escúchela las próximas navidades! Y si alguna vez va a cantarla, hágalo como un órgano, no como unas campanas de iglesia.

Ya que estamos en el tema de la música navideña, me gustaría señalar otra frase difícil; en parte porque es un ejemplo útil, pero también porque es un villancico extremadamente hermoso. Es una canción navideña tradicional francesa, titulada «Quelle est cette odeur agréable», y empieza así:

Es difícil, porque las frases son largas y porque hay muchos saltos en la melodía; siempre resulta difícil cantarla uniformemente. Si pudiéramos hacer un diagrama del volumen de nuestra línea cuando cantamos una frase así —y podemos hacerlo mirando al «nivel del volumen de grabación» del magnetófono de casa—, veríamos muchas cimas, como las de las pantallas de electrocardiogramas para controlar las pulsaciones. Hemos de bajar esas cimas sosteniendo el nivel de sonido: cantar toda la frase correctamente hasta la última nota, sosteniendo la presión de la respiración.

Cuando esté cantando frases como ésta no cante notas aisladas. Sostenga el sonido con un constante apoyo de la respiración, cante la frase teniendo en mente la última nota, que es adonde va a parar la frase. Y si está perdiendo el aliento a dos tercios del camino, haga un crescendo, apoye el sonido y manténgalo fuerte hasta la última nota.

Para ver cómo puede ser una frase uniforme, incluso aunque sea angular como en el último ejemplo, tararee la melodía. No dé notas individuales, sino una línea de sonido larga y sostenida, sin rupturas, sin espacio entre las notas. ¡Pruébelo! El sonido no se detiene, es continuo. Trate de conseguir esa «longitud» de sonido en todas las frases.

Otra cosa que puede intentar es cantar frases sin consonantes, pues éstas interrumpen el flujo de sonido. Cante sólo las vocales. Inténtelo con «Amazing Grace», cuyas palabras son : «Amazing Grace, how seewt the sound, that saved a wretch like me», pero cante sólo las vocales, así:

Puede parecer un poco estúpido, pero es muy útil para enfatizar la «fuerza» de una línea uniforme.

Más fácil aún, y probablemente más tranquilo, es cantar frases de su repertorio con una sola vocal, eliminando todos los estorbos y concentrándose en hacer una línea maravillosamente uniforme. Elija algunas frases en la música que usted cante, o utilice ésta: los primeros cuatro compases de «The shadow of your smile», de Johnny Mandel:

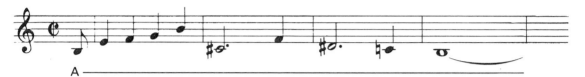

Observe cómo puede ser una línea uniforme; cuando luego añada las palabras, trate de cantarla como hizo sin ellas.

La escala larga, ascendente y descendente, es una buena línea para desarrollar el canto en legato, y añade también nervio vocal.

Lento

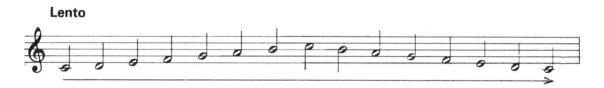

A menudo trazo flechas o marcas de frase en lápiz rojo a lo largo de frases largas como recordatorio visual de que hay que cantar A TRAVES de la línea hasta la última nota. Cuando esté practicando este ejercicio, mantenga sostenido el sonido, amplíelo y no lo deje desaparecer, especialmente al final. Cántelo en todas las tonalidades y con todas las vocales.

Todo esto está bien, pero cantamos palabras, no sólo sonidos. Y las palabras incluyen no sólo consonantes, que interrumpen el flujo uniforme del sonido, sino también acentuación verbal natural, lo que constituye otro problema.

Los acentos naturales son las tensiones naturales, o énfasis, que tienen algunas sílabas en el lenguaje normal. En esta frase se subrayan los acentos naturales, y al hablar o cantar, esas tensiones ayudan al entendimiento de las palabras y su significado. El lenguaje dramático italiano parece acentuar todas las palabras, usualmente en la penúltima sílaba. Este énfasis, que es acompañado a menudo de gestos, forma parte esencial del lenguaje, y sin él no tendría sentido, ni siquiera para los italianos.

Todas las lenguas tienen alzas y caídas, aspectos fuertes y débiles, volumen y variedad rítmica, y este colorido debe llevarse al canto. Los acentos naturales de las palabras deben preservarse en la línea de legato; algunas líneas han de ser enfatizadas sin que la frase uniforme se vuelva demasiado «desigual». Y para esto hace falta pensar las cosas algo. Ha de aportar algo, inclinarse hacia los acentos verbales sin salirse de la estructura de la línea sostenida. Dar énfasis ocasionales dentro de la frase consistentemente sostenida, lo que se conoce como un «marcato» dentro del legato.

Le mostaré un ejemplo:

Are you go-ing ___ to Scar - bor-ough Fair ___ Pars - ley

sage, rose - ma - ry and thyme

Esta conocida canción folklórica tiene líneas legato, y aunque hay un ritmo marcado, las frases han de ser sostenidas, y no con un «pulso» regular, como sucede en el vals. Los acentos de palabras han de ser decididos por el cantante, pero creo que en este caso son los que he subrayado.

Ahora ha de *apoyarse ligeramente* sobre estos acentos, pero no con tanta fuerza que las notas dejen de oírse. Todas las notas son importantes y todas deben sostenerse, pero debe hacerse sentir el énfasis natural de la palabra. Todas las sílabas, ya sean fuertes o débiles, deben sostenerse en una línea uniforme, pero la frase ha de funcionar hacia los acentos verbales, haciéndolos *ligeramente* prominentes. Es difícil, pues necesita mucha práctica y meditación ante una grabadora, y un buen oído.

Esta acentuación verbal dentro de la línea del legato es especialmente importante en el recitativo, que es un estilo de cantar basado en el ritmo del discurso. Trate de ver si está familiarizado con ello, y si se muestra inseguro respecto dónde caen los acentos verbales, búsquelos en un diccionario.

Pero además de pensar en los acentos de las palabras, hemos de pensar en los acentos musicales. No todas las notas tienen el mismo volumen; algunas piezas musicales están acentuadas en grupos de tres notas, como el vals, otras en grupos de cuatro, como las marchas, etc. Por tanto, los diferentes estilos —bossa nova, sarabanda, polka, minueto o fandango— tienen diferentes modelos de acentos musicales, de acuerdo con sus ritmos o «sentimientos». Algunas notas son enfatizadas y otras no. La música vocal no es una excepción.

Todas las canciones tienen un ritmo musical, además del ritmo de las palabras, y en las mejores piezas musicales ambos coinciden (tomen nota, compositores de canciones).

If you go then I'll be blue 'cos brea-kin' up is hard to do ___

En estos tres compases de «Breaking-up is Hard To Do», los énfasis naturales de las palabras, que están subrayados, han sido colocados por el compositor sobre los acentos musicales naturales. De este modo se logra una satisfactoria unidad entre letra y música. Si los acentos verbales hubieran sido colocados sobre el segundo y cuarto pulsos del compás, la música hubiera carecido de coordinación, resultando incantable.

La música vocal bien escrita, como ésta, es relativamente fácil de cantar, pero no todos los compositores son tan útiles para los cantantes como Neil Sedaka. Cuando se encuentre con acentos de palabras y musicales que no sincronizan, habrá de decidir cuáles son más importantes y comprometerse. Yo daría la ventaja a las palabras y dejaría que sus acentos naturales determinasen el ritmo de la música.

Los compositores que están dotados para las palabras y el canto escriben la mejor música vocal. Si quiere cantar algo de los músicos vocales más grandes, elija piezas de John Dowland, Monteverdi, Henry Purcell, Schubert, Verdi, y Benjamin Britten, la mayor parte de los cuales fueron cantantes.

Uno de mis compositores favoritos, Peter Warlock, sentía tal preocupación por la importancia del texto, que escribió en la parte superior de una de sus canciones: «Ha de cantarse como si careciese de compases, es decir, fraseando de acuerdo con la acentuación natural de las palabras, evitando especialmente un acento en el primer pulso del compás cuando el sentido no exija ese acento.» La canción se llama «Sleep», y su acompañamiento al piano tocado en solitario casi no tiene ritmo natural; las palabras determinan totalmente los acentos de la música.

Recomiendo expresamente el estudio de las canciones de Warlock a cualquier cantante o compositor de canto que esté interesado por la música vocal sensible y perceptiva. Y entre los autores de canciones populares modernas, sugeriría, por razones similares, a The Carpenters, Neil Sedaka, y Elton John.

La costumbre de escribir música dividiéndola en compases claros y regulares que se supone indican su ritmo es un fenómeno relativamente reciente en la historia de la música escrita. Se ha hecho desde hace 400 años. No necesitamos de esas líneas de compás y signaturas de tiempo para saber dónde están los acentos; podemos «sentirlos». Las barras de compás son útiles porque ayudan a la aparición de música impresa, que es así más fácil de leer. Las melodías escritas para una letra no suelen caer fácilmente en esos compartimientos rígidos; están acentuadas irregularmente y necesitan libertad rítmica para expresarse con fluidez.

Por este motivo, la música vocal fundamental con la que basar y comparar toda la otra música cantada son las sencillas canciones primitivas de iglesia. Se cantan con la máxima libertad, máxima naturalidad y máxima expresividad. No había acompañamientos, ni barras de compás, ni signaturas de tiempo, ni directores, ni productores. ¡Un paraíso del cantante! Ni las melodías ni los ritmos eran complicados, y las familiares palabras latinas de la liturgia eran simplemente entonadas en su mayor parte sobre las notas adyacentes dentro de una pequeña gama y en un tono cómodo.

Es canto *real* —canto básico—, porque su simplicidad permite al cantante libertad para expresar lo que debe ser expresado, sobre todo la belleza de línea, el sonido y la interpretación natural de las palabras. Cantarla es agradable; es una música amable y una nueva «dimensión» del canto... ¡A pesar de que gran parte de ella tiene mil años!

Estúdiela y aprenda a cantarla, y si conoce algún monasterio que practique los oficios diarios, vaya a escucharlos sin pérdida de tiempo.

Finalmente, en este capítulo me gustaría mencionar algunos puntos que pueden ayudarle a cantar más tranquilamente las canciones difíciles. Las notas adyacentes son bastante sencillas, pero las melodías que contienen grandes intervalos —o saltos— pueden resultar muy difíciles.

El canto del legato con intervalos puede practicarse mejor empezando con saltos bastante pequeños de unas tres notas y deslizando su voz entre cada dos grupos. De este modo:

DESLIZAMIENTO DESLIZAMIENTO DESLIZAMIENTO DESLIZAMIENTO
DESLIZAMIENTO DESLIZAMIENTO DESLIZAMIENTO

Al principio trabaje lentamente, haciendo un *glissando* (deslizamiento) deliberado entre las dos notas. Tenga cuidado con los tonos de las notas, que con facilidad pueden hacerse bemoles. Aumente la velocidad del deslizamiento hasta que sea tan rápido que no pueda notarse. Esa será la distancia más breve entre dos notas, haciendo un movimiento uniforme.

Cuando pueda cantar legatos de tres, pase a intervalos más grandes y haga ejercicios similares utilizando todas las vocales en toda su gama.

Tres ejemplos de melodías que contienen algunos intervalos difíciles, y por tanto son difíciles de cantar uniformemente, son «The way we were», «Bless the Beasts and the children», y el himno «The Day Thou Gavest»:

Mem - 'ries ——— light the cor–ners of my mind —— Mis -ty wa-ter- col -our

mem - 'ries ——— of the way we were ——

Este tipo de frase suena a veces como si estuviera siendo tocado con un dedo en el piano: con notas aisladas y desconectas. Debe ser una frase larga y sostenida. Alargar las vocales del cuarto compás de modo que no haya espacio entre ellas, y se convertirán en una «unidad de sonido», no en notas sin relación.

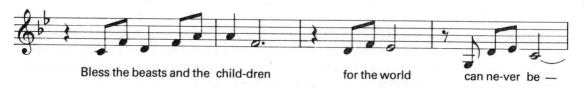

Bless the beasts and the child-dren   for the world   can ne-ver be —

También estos intervalos deben cantarse uniformemente en las frases largas. A todos los cantantes les será difícil, y a menos que haya perfeccionado con prácticas su técnica de cantar intervalos y arpegios uniformemente, le saldrá sucio. (Los arpegios, dicho sea de paso, son acordes que se tocan de nota en nota, como la haría un harpa. Las notas tercera, cuarta y quinta de este ejemplo forman un arpegio.) Cuando haya de cantar frases angulares como ésta de un modo uniforme, esfuércese en los períodos de ensayo tarareando la melodía, y cantando luego con una vocal: trace flechas a lo largo de las palabras apuntando a la última nota, y haga cualquier cosa que se le ocurra para fusionar las notas individuales en una unidad de sonido.

El himno que mencioné es éste:

The   day —   Thou   ga - vest   Lord —   is   en - ded

... es otra línea hacia arriba y hacia abajo que necesita un tratamiento largo y sostenido. Imagínela tocada por la sección de violines de una orquesta: una melodía grande y profunda; así es como debería cantarla.

Si no lo canta uniformemente, su público escuchará doce notas aisladas y sin relación, de una en una, unas altas y otras bajas... ¡Casi como si estuvieran elegidas al azar! Como en este gráfico:

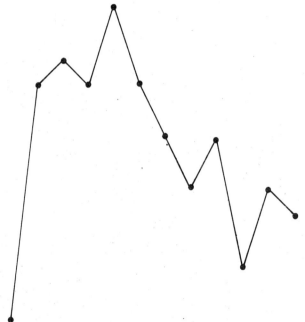

The   day____ Thou ga —— vest Lord _____ is   en-ded

Puede verse en él la distancia de los saltos y el tempo de la melodía —música «ping-pong»—; como revela el gráfico, las melodías con grandes intervalos pueden sonar fácilmente como algo disjunto. Pero si «estiramos» el gráfico horizontalmente, y piensa en la frase como si fuera una línea, se hacen menos angulares y más proporcionadas:

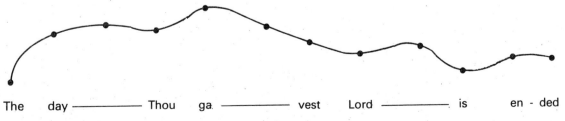

The   day ——————— Thou   ga ——————— vest   Lord ——————— is   en - ded

Tiene que «alargar» la frase: no se preocupe de las notas altas, cante *a través* de toda la línea hasta la última nota.

Para los cantantes, la articulación es un tema más complicado de lo que parecía en un principio. Y no se trata de algo que sólo se note cuando se hace mal; el público presta atención y escucha cuando usted articula bien. El canto bueno e inteligente ha de ser desarrollado, pensado y practicado; necesita hacer un gran esfuerzo. Pero cuando lo haya hecho, su público no sólo oirá, *escuchará...,* y eso es estar a años de luz de ser simplemente otro vocalista.

Espero que trabaje este capítulo, que piense en él, que tenga algunas ideas propias sobre él y las ponga en práctica.

Aquí hay una página para sus notas y otra para que componga sus propios ejercicios.

NOTAS/RESUMEN

7. Sesiones de ensayo. Cómo practicar

Me gustaría tratar algunas cuestiones con respecto a cómo obtener los mejores resultados del tiempo de que disponga; y espero que pueda obtener algún tiempo libre con regularidad, pues en esta sección se supone que está dispuesto a invertir en el canto tanto como vaya a sacar de él, tanto si es un modo de ganarse la vida como si no.

Por alguna extraña razón, son muchos los cantantes que no practican regularmente. Quizá consideren el canto como algo «natural», como el andar, nadar y correr, como algo que se hace fácilmente y en cualquier momento. Y así es para algunas personas. Pero si desea usted hacerlo bien, si quiere desarrollar su talento y hacer justicia a la música, tendrá que dedicarle tanto tiempo como hacen los nadadores y corredores de competición. Los instrumentistas buenos practican todos los días, como los atletas..., y como los mejores cantantes.

El objetivo de la práctica diaria es el pleno desarrollo de su potencial y el perfeccionamiento de todos los detalles de la técnica vocal, de modo que en sus ensayos, conciertos y grabaciones los mecanismos de su voz sean *siempre* de fiar. El poseer ese grado de habilidad le dará confianza y podrá gozar de la música y relajarse ante su significado. Su importancia ante el oyente no debe reducirse a sus problemas musicales y vocales.

Su ambición debe ser una técnica perfecta y cómoda que se convierta para usted en una segunda naturaleza por la que no tenga que preocuparse en absoluto. He aquí algunas normas, todas ellas importantes.

1. *Calentamiento.* Como el cuerpo de un atleta, la voz ha de ser precalentada suavemente para que trabaje con el mejor rendimiento y no se vea dañada. Si canta con energía a partir de un estado «frío», especialmente en la parte superior de su voz, producirá con toda seguridad un sonido áspero. Diez minutos de precalentamiento lento, tranquilo y suave serán suficientes. Tararee un poco, utilice primero la octava baja, practique el ataque cómodo, la apertura de garganta, el control respiratorio y las notas sostenidas.

2. *Postura.* Evite la tentación de sentarse ante el teclado o cualquier otro instrumento para acompañarse a sí mismo; al menos durante una parte del período de práctica.

3. *Utilice música real* además de ejercicios. Elija frases de su repertorio y utilícelas para mejorar cualquier detalle técnico.

4. *Que no sea demasiado largo,* especialmente en el caso de principiantes y cantantes

jóvenes. Los músculos de la garganta y laringe pueden cansarse y empezar a dolerle. En un principio suele ser suficiente un período de veinte minutos, dos o tres veces al día.

5. *«Piense siete veces y cante una»,* me decía un antiguo profesor. Lo que quería decir es que hay que tener un propósito para cada frase que cantemos, en lugar de cantar de cualquier modo los ejercicios una y otra vez. Recuerde los objetivos del ejercicio: perfeccionar su técnica y perfeccionar todas las frases en todos los aspectos. La vocal, la respiración, el apoyo, el tono, la postura, el ataque, el sonido; hay que concentrarse en todas esas cosas para que su canto mejore rápidamente.

6. *Primero la octava más baja.* No utilice en exceso la parte superior de su voz hasta producir las notas bajas y medias bien y cómodamente; e incluso entonces vaya pasando gradualmente a la parte superior.

7. *El canto en voz baja* ha de salirle bien antes de elevar la voz. El *canto lento* ha de salirle bien antes de que pueda cantar con rapidez.

8. *Gestos.* Algunas personas hacen gestos al hablar. Las manos, brazos y cabeza se mueven para enfatizar un punto o como reacción natural ante el significado de las palabras. Si le resulta natural hacerlo, ¡estupendo! Después de todo, lo que estamos cantando son palabras y sus significados, además de negras y corcheas. Por tanto, exprésese con el cuerpo en las sesiones públicas y en los ensayos con el fin de que llegue a considerarlo natural y aceptable. Creo que es preferible a estar rígido como una estatua.

9. *Práctica regular.* Una hora al día ha resultado siempre más efectivo que siete horas el domingo. Con independencia de la fase en que se encuentre ahora, la práctica *regular* es el único medio de mantener y desarrollar su capacidad. El canto es una actividad física en la que se utilizan los músculos y la respiración, y como en el caso de los otros entrenamientos físicos, si lo practica diariamente durante algunas semanas se sentirá notablemente más apto. Su voz puede desarrollar flexibilidad, agilidad, fuerza y nervio.

10. *Practique con un amigo* de vez en cuando. Sus oídos se pueden acostumbrar a los pequeños fallos y dejaría de tenerlos en cuenta. Haga que alguien lo escuche de cuando en cuando, pues el oído de la otra persona será más perceptivo que el suyo ante su canto.

11. *No cante con el estómago lleno.* Si se siente incómodamente lleno de comida, los músculos utilizados en la respiración y su control no podrán moverse libremente. Siempre cantará mejor estando vacío que estando lleno.

12. *Comprométase* a un canto hermoso y saludable.

Probablemente, no podrá perder mucho tiempo, por lo que en lugar de elegir al azar las canciones y períodos durante su entrenamiento, ¿por qué no tomarse la molestia de planificar con eficacia su trabajo? Le ayudaré a hacer un plan de prácticas que le resultará muy útil si se atiene a él.

Empezaremos con un diagrama global por si tiene el tiempo y las ganas de practicarlo todo. Este diagrama incluye todos los detalles de los requerimientos técnicos del canto; por tanto, si lo sigue adecuadamente, su voz estará siempre en gran forma.

	DIA 1	2	3	4	5	6	7	8	9	10	11	12	13	14	15	16
Resonancia	✓					25										
Respiración	✓	O				15										
		EN														
		MINUTOS														
Atacar y terminar la nota	✓					15										
Articulación	✓					35										
Gama	✓					10										
Agilidad	✓					20										

Estos seis encabezamientos cubren el alcance total de su técnica. Todos tienen subdivisiones, desde luego. La respiración, por ejemplo, incluye la respiración superior y el control de la respiración, y la articulación tiene las subdivisiones de pureza vocal, legato y consonantes, por mencionar sólo unas pocas.

En todas las sesiones de práctica habrá de trabajar ejercicios de cada una de las subdivisiones, de modo que todos los detalles de su técnica obtengan al menos unos minutos de su trabajo diario. Sé que ello se lleva una gran parte de su día y que es complejo; pero si puede lograrlo se sorprenderá de la mejoría.

·Dedique una cantidad igual de tiempo a cada encabezamiento, por ejemplo 20 minutos (2 horas al día). En esos 20 minutos, practique todos los elementos importantes del encabezamiento, utilizando mis ejercicios y los suyos, marcando el cuadrado o registrando los minutos cuando haya acabado.

Si considera que no necesita uno de los encabezamientos, divida su tiempo entre cinco encabezamientos, y si considera que algunas partes de su canto requieren más trabajo que otras, asígnese el tiempo proporcionalmente.

Idee su propio diagrama basándose en el anterior.

Este grado de esfuerzo está destinado sólo a los cantantes con mayor dedicación y tiempo del que disponer. Los que tengan menos tiempo pueden hacer un diagrama más simple. Algunas de las cuestiones técnicas pueden combinarse en un ejercicio con el fin de ahorrar tiempo. Describo a continuación algunas de las combinaciones:

Ataque y pureza de vocales.

Tarareo con control de la respiración.

Agilidad y gama.

He aquí una sugerencia para un diagrama de combinación más simple, de utilidad para los cantantes con limitado tiempo de práctica:

Las combinaciones	DIA 1	2	3	4	5	6	7	8	9	10	11	12	13	14	15	16
Ataque − pureza de vocales	15															
Control de respiración − tarareo	10															
Agilidad − gama	15															
Legato − resonancia inferior	10															
Respiración superior − postura	5															

Decida qué aspectos de su canto requieren más trabajo, combine dos de ellos y haga un ejercicio con esa combinación. Divida su tiempo disponible de modo igual o proporcionado y rellene el cuadrado de cada día cuando haya completado el trabajo.

Es mucho más simple que el primer diagrama, pero resulta efectivo. Puede elegir *sólo* los puntos técnicos que necesiten más trabajo y practicar un poco, de 5 a 10 minutos, cada combinación. Dicho sea de paso, no desprecie *completamente* ningún detalle de su técnica, ni siquiera aunque esa parte de ella sea buena. Si así lo desea, préstele menos atención en sus períodos de práctica, pero recuérdela ocasionalmente para mantener su condición.

La utilización de cualquiera de estos planes requiere del cantante que busque o idee algunos ejercicios convenientes. Si desea alguna ayuda para idear esos períodos de ejercicios, o si quiere un plan de prácticas de treinta minutos, aquí tiene un ejemplo:

PRACTICA DE TREINTA MINUTOS

CALENTAMIENTO, 5 minutos.

En la línea antes mencionada.

RESONANCIA, 5 minutos.

Superior: tararee con toda su voz con M, N, NG, y HM; tarareo y apertura de labios para hacer un sonido vocálico, utilizando en este ejercicio diversas vocales y tonalidades:

Inferior: practique la apertura de garganta y caída de mandíbula; cree un gran espacio y mantenga la posición abierta de bostezo, cante esa frase en un tono bajo; cante todas las vocales:

Muy lento

A

RESPIRACION, 5 minutos.

Practique la respiración profunda con la inspiración y vaciado de pulmones máximos.

Alterne otros días con el ejercicio de expansión sentado, la respiración profunda tumbado y el mantenimiento de un objeto pesado sobre la cabeza.

Haga unas cuantas respiraciones rápidas.

Control de respiración: cante una nota o frase con fluencia de salida de aire lenta y uniforme, apoyo del sonido apretando hacia dentro los músculos del estómago y midiendo el tiempo (30 segundos está bien).

Cante a media voz, muy lentamente... R.T.F. (repita hasta que desaparezca —«repeat 'till fade»—), que se escribe así:

ATAQUE Y TERMINACION DE LA NOTA, 5 minutos.

Tenga como objetivo un ataque suave y relajado de la nota, sienta el «golpecito», piense en el tono, las posiciones de la lengua y la mandíbula; utilice un ejercicio simple que contenga todas las vocales, como éste:

Lento y bajo

I   E   A   O   U   Ü   E   A

Practique este ejercicio de terminación del sonido o la frase; cada par de notas es una terminación de frase, vaya disminuyendo la segunda nota con claridad; hacia abajo y hacia arriba, intente los diferentes tonos y vocales y deténgase en las comas.

Lento

ARTICULACION, 5 minutos.

Pureza de vocales: pronuncie las ocho vocales, tóquese la garganta, sienta las diferentes posiciones y formas de la boca; sonidos vocálicos puros y definidos; cántelas ahora con una nota baja, una nota media y una alta.

Combinaciones de diptongos: utilice todas las diferentes combinaciones, asegúrese de que cada vocal suene correctamente; he aquí una frase:

I — E — A — I — E — A — I — E — A — I — E — A — I — E — A

Consonantes: el objetivo es una dicción elegante y la tonalización de L, M, N, R y Z. Lea en voz alta algunas frases concentrándose en una dicción clara y deliberada. Cante este ejercicio en diversos tonos y velocidades incrementadas:

L   ost   M   ate   N   ine   R   ead   Z   oo

Legato: cante este ejercicio (o cualquier melodía que desee) muy uniformemente; mantenga la presión de la respiración; cante una frase, no notas aisladas. Diríjase a la última nota. Cante las distintas vocales y ensaye con diferentes tonalidades:

A

AGILIDAD, 5 minutos.

Practique este ejercicio en series. Con una pulsación ligera, acentúe la primera nota de cada grupo y practique diversas velocidades, vocales y tonalidades:

Este ejercicio está destinado a la gama y arpegios limpios...

... y éste a los ornamentos y flexibilidad; cántelo incrementando la velocidad:

Es un plan bastante global, y le garantizo que su sonido mejorará incluso a los quince días de cumplirlo cuidadosamente... y *diariamente.* Mejor aún si puede hacerlo dos veces al día.

* * *

Además de esta equilibrada planificación, haga todo lo que guste de entre las siguientes cosas:

Tarareo.
Relajación y abertura del espacio de la garganta.
Ejercicios respiratorios al aire libre.
Ejercicios de control de la respiración en un número de pasos medidos.
Práctica de lectura a primera vista.
Ejercicios de los músculos abdominales: tijeretas, natación, bicicleta, etc.
Tararee o cante en voz baja y sostenidamente una nota muy alta; una de sus cinco notas
 más altas. (Le ayudará a controlar una frase situada en una posición alta, que se deno-
 mina a veces como *tesitura* alta.)
Escuche una gran variedad de música, tanto vocal como instrumental.

GRABE EL PROGRESO

Cuando su canto esté mejorando, escúchelo y siéntalo. Si le gusta ver su progreso, dibuje gráficos o diagramas para registrar su ejecución.

Los gráficos son bastante simples de elaborar. Incluyo aquí un par de sugerencias. Una de ellas para la respiración:

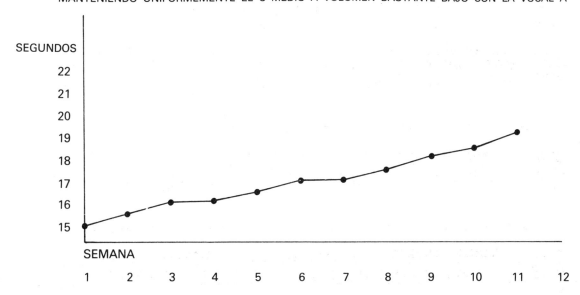

MANTENIENDO UNIFORMEMENTE EL C MEDIO A VOLUMEN BASTANTE BAJO CON LA VOCAL A y el otro para la agilidad:

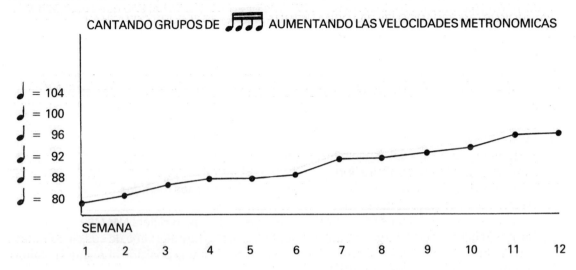

CANTANDO GRUPOS DE ♩♩♩♩ AUMENTANDO LAS VELOCIDADES METRONOMICAS

Se incluyen a continuación dos páginas de pentagramas en blanco y dos páginas vacías para sus ejercicios y diagramas.

NOTAS Y DIAGRAMAS

NOTAS Y DIAGRAMAS

8. Fallos vocales: Los malos hábitos y el modo de superarlos

La voz «natural», es decir, la que ha sido siempre técnicamente perfecta en todos los aspectos, es tan rara que casi podemos olvidarnos de que exista. La mayor parte de nosotros hemos nacido sin defectos vocales, pero, con los años, diversas influencias (como los «nervios», nuestro lenguaje, personalidad y hábitos) nos hacen desarrollar unos desafortunados fallos de los que no somos conscientes hasta que un profesor nos los señala o nos oímos en una cinta grabada. La mayor parte de los fallos son el resultado de técnicas deficientes de control de la respiración, ataque y resonancia; por tanto, si perfeccionara las tres técnicas no debería tener muchos problemas. Pero no se preocupe si los tiene..., está en buena compañía. Todos los cantantes que conozco, yo incluido, tienen o han tenido problemas con su técnica en una época u otra.

Pídale a alguien a quien respete que critique una grabación de su canto. Luego, si algo no le parece bien, el motivo lo encontrará aquí y la información le ayudará a superar el problema.

FALLO NUMERO 1: SONIDO «LANUDO» Y «TEMBLOROSO»

El sonido es difícil de describir, pero creo que sabrá a qué me refiero. Es una especie de «bocinazo», pues se escapa demasiada respiración y no se produce mucha voz. Se oye a los jóvenes y viejas damas de los coros.

Todo viento, pero no demasiado sonido, a la voz le falta un «foco», un «núcleo», un «borde» del sonido.

Se debe a que se escapa demasiado aire a través de las cuerdas vocales o a que no hay un apoyo suficiente a la respiración, o a ambas cosas. Si las cuerdas vocales no están lo bastante juntas, el aire se escapa en lugar de ser «utilizado»: es aire perdido; o si la presión de la columna de aire desde los pulmones hasta las cuerdas no está siendo apoyado y reforzado por el diafragma, la presión del aire dentro de los pulmones caerá y producirá un «vacío», o casi, que no puede producir un sonido potente.

La curación, claro está, consiste en corregir el inicio de la nota y desarrollar un buen apoyo a la respiración.

Ya explicamos antes el ataque; pero este otro ejercicio también le ayudará:

Los ejercicios simples como éste, hechos apropiadamente, corregirán la tónica temblorosa. I es quizá la mejor vocal, pues da algo de tensión a las cuerdas vocales; pero no cante HI.

Tómese el tiempo necesario, concéntrese en el ataque, sienta el «golpecito» que inicia la nota, y deberá obtener un sonido claro. Hágalo suavemente en un principio, utilizando la cantidad mínima de respiración y tratando de hacer el sonido «dentro de sí mismo».

Pruebe con las otras vocales, manteniendo algo de la tensión que da I al sonido.

Por lo que concierne al control de la respiración: la disminución de la presión del aire dentro de los pulmones, que puede producir el sonido «lanoso» débil, ha de ser reemplazada por una presión continua y fija empujando hacia adentro con los músculos del estómago para ayudar al apoyo del diafragma bajo los pulmones. Estos dos puntos pueden transformar el sonido de su voz.

FALLO NUMERO 2: VOZ APAGADA, SIN VIDA Y SIN COLOR

Esto es bastante claro. Es el resultado de la no utilización de la resonancia de que dispone. El sonido se produce principalmente en las «cámaras de eco» de la garganta, boca y espacio nasal. Cuanto más las use para desarrollar la resonancia, más brillante y potente se hará su sonido. La curación la encontrará en el Cap. 5.

FALLO NUMERO 3: SONIDO «GUTURAL»

Se dice a veces que es como «tragarse el sonido». Se debe a que la nariz es constreñida porque la lengua obtura el espacio de la garganta, y es bastante común entre los cantantes bajos tipo «sargento mayor» de los coros de las iglesias y sociedades corales. También se encuentra en la música pop salvaje.

No sé la razón de que sea tan sencillo adoptar la costumbre de producir un sonido gutural. Pero es igual de sencillo corregirla. La curación consiste en entrenar a la lengua para que permanezca plana, sin estorbar, y adelantada en la boca para alejarse de la garganta. En esa posición podrá abrir la garganta como en un «bostezo» para producir un sonido libre de constreñimientos.

He aquí un buen ejercicio para entrenar la lengua; y he elegido una frase ascendente porque una escala ascendente hacia las notas superiores produce más problemas de lengua que las notas inferiores:

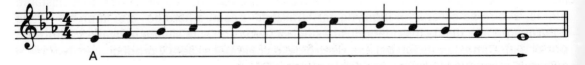

Al principio, cante equivocadamente para que recuerde cuál es el problema. Deje que la lengua se desplace hacia arriba y hacia atrás, y observe el ruido hueco, tenso y gutural que produce. Luego, deliberadamente, abra la garganta, mantenga la punta de la lengua tocando la parte trasera de los dientes, para crear mucho espacio, y cante de nuevo. El sonido será libre y vibrante, y usted se sentirá relajado y cómodo. Ese es el sonido que debe entrenarse para producir. Con un poco de práctica, se habituará a sentir la posición de la lengua y a hacer un sonido libre y sin restricciones.

En realidad es bastante sencillo, sólo entrenamiento. Al principio cante el ejercicio en una tonalidad cómoda con las vocales más sencillas: A y E. Luego inténtelo con los sonidos más cerrados.

Cuando se encuentre satisfecho con el sonido de la parte media de su voz —y no antes—, vaya subiendo la frase de semitono en semitono hasta alcanzar sus notas más altas.

He aquí las dos primeras trasposiciones. Le dejo las otras a su imaginación:

FALLO NUMERO 4: PROBLEMAS CON LAS VOCALES

Son bastante comunes los sonidos vocálicos oscuros e indistintos. Es muy fácil, casi «natural», adoptar ese hábito.

Los «colores» vocálicos son apagados, planos, sin vida, y carentes de brillantez. Creo que ya sabe a qué me refiero; y puede escucharlo particularmente en los cantantes no latinos. La razón, creo yo, es que nuestra lengua carece de «brillantez» y «color» y cantamos de modo natural, tal como hablamos. Sin embargo, los sonidos sin vida no tienen sitio en el canto, por lo que debemos tratar de darles brillantez del modo que podamos.

En la mayor parte de las personas, las vocales E, A y U son las más apagadas, e I la más brillante. Si trabaja partiendo del sonido más brillante y traspasa algo de su brillo a las otras vocales, desarrollará de modo consistente sonidos brillantes. He aquí un ejercicio que le servirá de ayuda:

Obtenga un sonido brillante, manténgalo alto y brillante..., en especial AQUI.....................................

Elija su vocal más brillante (probablemente es la I), y cante este ejercicio en su gama media-superior. Consiga un sonido brillante con la primera vocal, y cuando pase a E, *oblíguese* a mantener la brillantez, no dejando que el sonido «caiga a la boca»; utilice mucho «aire» en E y concentrándose aún más cuando pase a A.

Elabore usted mismo los ejercicios para las otras vocales y habitúese a pensar de este modo.

El otro problema vocálico común lo constituyen los sonidos vocálicos impuros e indistintos. La próxima vez que vea cantar en televisión —cualquier estilo de canto—, fíjese bien en los rostros de las personas y escuche sus sonidos de un modo crítico.

Las congregaciones de las iglesias son de gran utilidad para esto, y los cámaras se complacen a menudo en enfocar los rostros más cómicos. Son los rostros inmóviles de labio superior tenso y rígido los que producen las palabras que no puede usted entender.

Las vocales, consonantes y palabras son bastante difíciles de entender en el lenguaje de la mayor parte de la gente, pero no hay ninguna posibilidad de que lleguen a través de todo ese espacio, de la orquesta y del ritmo, a menos que se *exageren deliberadamente.*

Una cuestión dirigida especialmente a los *cantantes de música pop:* ¡Por favor, no canten LERVE por LOVE!

Incluyo este ejercicio para que piense en él:

I   E   A   O   U

Los diferentes sonidos son hechos por las cuerdas vocales, como observará si pone un dedo entre los dientes y los canta. Pero pueden hacerse aún más distintivos si utiliza su garganta, el espacio bucal y los labios para refinarlos. Hace falta movilidad, y cuando se canta en público hace falta la formación deliberada de cada vocal.

Si es usted tímido, tendrá que desarrollar un cierto abandono para exagerar de ese modo. Pero le irá muy bien a su canto (le garantizo que quedará satisfecho de su dicción)... ¡Y a su modo de hablar!

FALLO NUMERO 5: CAMBIO DE MARCHA

Una vez oí decir a Jackie Stewart que el secreto para conducir en el Grand-Prix es la suavidad y precisión del cambio de marchas. También podría decirse esto del canto; y los cambios de la voz son los «registros» o zonas de donde parece salir la voz. Las notas altas, particularmente en las voces altas, parecen hacerse en la cabeza y tener un sonido ligero y sonoro. Las notas más bajas, especialmente en las voces graves, tienen una cualidad espesa y oscura que parece estar hecha en la garganta y el pecho. Y las notas medias son sentidas como teniendo una cualidad en algún punto entre aquellos extremos.

El fallo estriba en que, al cantar una frase de amplia gama, en el cantante no entrenado esas diferentes cualidades pueden sonar fácilmente como «voces» diferentes; casi como de cantantes distintos. De ese modo se rompe la frase y se vuelve inconsistente y, en mi opinión, fea.

Este estado puede curarse desarrollando la habilidad suficiente para controlar su uso de la resonancia, subiendo el sonido pectoral pesado hasta las notas más altas, y llevando la resonancia de la «voz de cabeza» más brillante a las notas más bajas.

En una frase descendente, el punto de peligro se encuentra a unas cinco notas de la más baja, pues ahí es donde se produce una «ruptura» y empieza la voz de pecho. Trabaje este punto, tratando de hacer más suave el cambio de marchas llevando hacia abajo la resonancia alta y subiendo la resonancia de pecho.

FALLO NUMERO 6: EL FORZAMIENTO O SOPLIDO EXCESIVO

Especialmente en los hombres, es muy poderosa la tentación de producir un sonido más fuerte del que están equipados para dar. Sucede mucho en la música dramática, en las notas altas y cuando alguien está tratando de oírse por entre el voluminoso sonido instrumental que le rodea: ya se trate de música pop amplificada o de música orquestal majestuosa.

Este forzamiento o «exceso de soplido» produce un sonido duro e incontrolado y puede causar un daño permanente en las delicadas cuerdas vocales. Programe su mente con el hecho de que hay un límite en el número de decibelios que puede producir su aparato vocal. Ni siquiera las voces más fuertes pueden competir con la música amplificada, un concierto de órgano, otras cuarenta voces, o la sección de metal de una orquesta sinfónica.

El único medio que tiene su voz para sonar alta es desarrollarla desde el canto correcto en voz baja, utilizando el máximo espacio resonador, la máxima presión de la respiración y el máximo apoyo. Y todo eso tiene un límite. Perfeccione su técnica de cantar a poca voz, haciendo el sonido «dentro de usted mismo», no «empujándolo hacia fuera». De ese modo constituirá la resonancia y la presión respiratoria hasta el grado máximo de *su* potencial, pero no más.

FALLO NUMERO 7: PROBLEMAS DE ENTONACION

No es fácil corregirlo. Consiste en cantar fuera de tono, pero el problema estriba en que con frecuencia el cantante no se da cuenta de ello y puede tardar mucho tiempo en corregirlo.

El tono de sus notas es ayudado por una resonancia superior bien desarrollada, pero la resonancia sola no puede corregir la mala entonación. Creo que la causa principal de cantar fuera de tono es un sentido del tono subdesarrollado: un oído musical deficiente. Mi consejo es que trate de desarrollar un sentido del tono preciso escuchando a otros cantantes y criticando su propio canto. Toque un acorde en un instrumento bien afinado, preste gran atención al tono de las notas, oiga el tono exacto de cualquier nota en el «oído de su mente» antes de cantarla, lleve consigo un diapasón, grábese cantando sin acompañamiento y compruebe el tono con un piano, etc. Irá desarrollando gradualmente un agudo sentido del tono, y corregirá el fallo.

FALLO NUMERO 8: OSCILACION, EXCESO DE VIBRATO

Cuando los instrumentistas de cuerda agitan con rapidez la mano izquierda, están produciendo un vibrato: alteraciones diminutas, casi imperceptibles, en el tono de una nota para darle «calidez».

Como era de esperar, el vibrato también se produce en el canto.

Pero el vibrato excesivo e incontrolado produce un sonido «oscilante» inestable al que podemos llamar oscilatorio. (No se trata de un trémolo, que es un rasgo de la técnica del instrumentista, y significa algo diferente.) Es causado por respiración y control respiratorio deficientes; la respiración no es suficiente y hay una falta de apoyo muscular fuerte de la presión del aire en los pulmones.

El remedio consiste en trabajar unas cuantas semanas los capítulos 1 y 2, y en iniciar desde aquí unos cuantos ejercicios útiles.

Tararee

Tome una buena inspiración, tararee una nota bien alta, mantenga el mismo volumen —con estabilidad, sin oscilación— y sosténgalo durante veinte segundos o más. De ese modo estimulará a sus músculos de apoyo a trabajar. Cuando pueda controlar la estabilidad del tarareo, empiece con los sonidos vocálicos:

Lento, uniforme, bajo

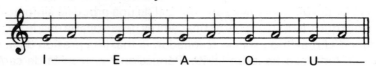

De nuevo mantenga el volumen estable y bajo todo el tiempo; sea consciente del trabajo que tienen que hacer los músculos de su estómago para apoyar el sonido. Luego «juegue» con su control dentro de la media voz.

Tan lento como quiera

De modo gradual, estable, controlado; mantenga el tono de la nota. ¡No oscile!

FALLO NUMERO 9: RESPIRAR EN LUGAR ERRONEO

Sólo hay un lugar para que detenga el canto y respire, y ése es el lugar correcto, que viene determinado por la puntuación, el sentido de las palabras y la música. Del mismo modo que cuando hablamos.

Del mismo modo que las palabras se agrupan en frases, y por razones similares, la música se escribe en frases. Los letristas puntúan la fluencia de palabras, los buenos compositores escriben de acuerdo con ello, y los cantantes deben respetar el fraseado.

La pérdida del aliento es la causa principal de que respiremos en lugar erróneo; es una excusa comprensible, pero, por desgracia, no es aceptable al oído discriminatorio del director musical, del productor, ni de la persona que paga dinero para oírle cantar.

En esta frase sólo hay un lugar para respirar, después de «again», pero he oído la frase rota después de «know».

Piense en todas las frases que toca un órgano o violín; no se rompen porque no hay problemas de respiración..., y tampoco el cantante debería tenerlos.

FALLO NUMERO 10: DIPTONGOS O MEZCLA DE VOCALES

Ya hablamos antes de palabras como «mind», «here» y «open», que contienen diptongos o vocales mezcladas. La palabra «round», por ejemplo, mezcla la A y la U: RA-U-ND. Al hablar, pasamos tan de prisa por los diptongos, que apenas se notan; pero al cantar, el sostenimiento de las notas hace necesario que pensemos algo en la posición exacta de la segunda vocal de todo diptongo. He aquí un ejemplo clásico:

I'll get by —— as long as I —— have you ——

Los puntos que necesitan ser pensados son «by» e «I». ¿Ha notado esto alguna vez?

BA —— I —— A —— I ——

«I'll get byEE as long as I-EE have you». A buen seguro que no me tendría si cantara de ese modo. ¿Ha oído eso alguna vez? Es bastante común entre los cantantes tipo «show», y para mí es la despedida *final*.

Si piensa en los diptongos y canta unos ejemplos, creo que aceptará que la mejor posición para la segunda vocal es *justamente antes del final de la nota,* es decir, mejor cuanto más breve. Algo semejante a esto:

I'll get BA —— I as long as A—— I have you——

Podrá ver que la mayor parte de los problemas que tiene probabilidad de encontrarse están causados por una técnica errónea de control de la respiración, por el inicio de la nota y por la resonancia. Si puede hacer correctamente estas tres cosas, su canto mejorará día a día. Pero su canto no podrá ir mejorando si uno o varios de estos aspectos no está bien.

Le aconsejo encarecidamente que trabaje con cuidado los cinco primeros capítulos.

9. Leer música

Cualquiera que sea su estilo de canto, lo hará con mayor facilidad si puede leer música. Las páginas anteriores presuponían un entendimiento básico de la notación musical. Este capítulo está destinado a aquellos que experimentan una sensación de indefensión cuando ven música escrita y no tienen la menor idea de lo que se trata.

Una página de música puede ser tan significativa para una persona como el crucigrama en jeroglífico de *un periódico,* pero para otra es *música* que puede «oír». Los músicos bien entrenados pueden «leer» y entender la música escrita casi tan bien como un periódico. Lo que significa que son capaces de «oír» (o imaginar) su ejecución. Todo cantante que no sea completamente sordo al tono puede desarrollar en parte esa capacidad con el entrenamiento. No es fácil, pues hay que aprender otro lenguaje, pero *puede* aprender a leer música incluso aunque no tenga un talento musical especial. Los puntos negros y signos son el alfabeto de la música, y ha de aprender lo que significan. Cantando música leída tiene que cantar las notas adecuadas en el momento apropiado.

CANTAR LAS NOTAS ADECUADAS

El asunto inmensamente complicado de trasladar ideas musicales al blanco y negro ha sido solucionado, durante siglos, por un sistema cuyo principal rasgo para nosotros es, por el momento, la escala. La escala es la línea de las notas do, re, mi, fa, sol, la, si, do: siete notas diferentes y una octava, que es la misma que la primera, pero en un tono más agudo. Esas siete notas diferentes son las siete letras de que se componen las «palabras» y frases musicales. Son los ingredientes básicos de las melodías, y a partir de ellas pueden obtenerse miles de melodías diferentes. (Hay unas cuantas notas más, pero llegaremos a ellas más tarde.)

Si tiene un piano a mano, toque una línea larga de notas blancas. Su oído le dirá dónde empieza la escala, y se dará cuenta de que ésta se repite varias veces hasta que acaba el teclado.

Estas son las notas que tiene el compositor a su disposición, y así es como las escribe sobre el papel:

Las escribe sobre dos series de cinco líneas. (Hace unos cientos de años utilizaba once líneas, pero como era un poco confuso para la vista, fueron reemplazadas por dos series de cinco, y la pequeña línea que hay en medio la traza el compositor cuando la necesita.)

Las siete notas de la escala son denominadas con una letra. Por tanto, éstas son las líneas y éste es el sistema que utilizamos. Las letras que se utilizan como nombres son A B C D E F G, que son estas líneas blancas sobre el piano:

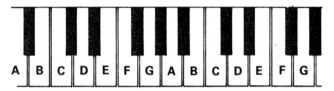

repetidas de abajo arriba.

Los nombres correspondientes de las líneas y espacios son:

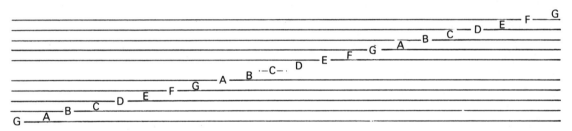

La extensión de notas para todas las vocales es de cuatro escalas consecutivas. Hay unas veintiocho notas en el centro del piano.

En el siguiente diagrama puede verse esa extensión y el modo en que el compositor indica las notas sobre las once líneas.

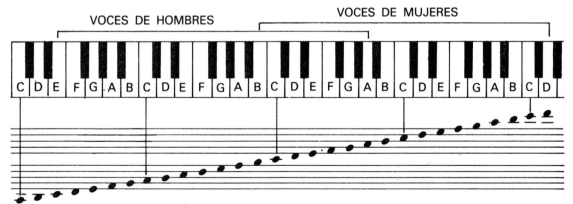

VOCES DE HOMBRES   VOCES DE MUJERES

Las notas más agudas son escritas en las cinco líneas superiores (o «pentagrama») y las notas masculinas en el pentagrama inferior. El compositor indica el tono que quiere escribiendo la Clave de Sol (𝄞) o la Clave de Fa (𝄢) al principio.

Ya conoce los nombres de las notas y cómo aparecen en el papel. Pero ¿cómo cantará música impresa cuando no tenga un piano a mano?

Aún no puede. Para cantar las notas adecuadas también necesita saber un poco más sobre escalas y algo sobre intervalos, o distancia entre las notas.

Volvamos a esa escala de *do, re, mi;* es una escala mayor y, sobre el papel, se ve así:

   Y en la Clave de Fa en un tono inferior

Es una escala mayor, C D E F G A B C, y he vinculado con una línea curva las dos posiciones importantes en donde se producen semitonos: entre E y F y entre B y C. Todas las otras distancias corresponden a tonos completos, y por tanto una escala mayor se compone de: tono, tono, semitono, tono, tono, tono, semitono. Esto es importante. El orden de los tonos y semitonos determina el sonido de la escala.

Repetiré que una escala mayor se compone de siete intervalos:

tono, tono, 1/2 tono, tono, tono, tono, 1/2 tono.

Esa es la escala mayor: las siete notas diferentes de las que pueden sacarse miles de melodías. He aquí una de esas melodías, se trata de un Himno Nacional que se oía ocasionalmente en los Juegos Olímpicos:

Se escribe utilizando las siete notas de la escala, las siete notas blancas de un piano: C D E F G A B C. Decimos que está escrito en la escala de C mayor o en la «tonalidad» de C mayor.

Si trata de cantarla empezando en la nota C, probablemente le parecerá un poco grave. Posiblemente preferirá cantarla un poco más alto; por ejemplo, empezando en G.

Aquí tiene la escala escrita empezando en G —la escala mayor que empieza en G—, pero no olvide el orden de tonos y semitonos.

Estas son las notas de la escala que empieza en G: G A B C D E F G, y he marcado los semitonos. Los semitonos no están bien, ¿no es cierto? El primero lo está, pero el segundo debería encontrarse entre las notas séptima y octava. Cuando reescriba una escala en un tono diferente, *el orden de los tonos y semitonos ha de mantenerse.* Para mantener el orden correcto habremos de utilizar las notas negras, en este caso F sostenido, y la escala será G A B C D E F sostenido G. El orden de los tonos es el correcto y suena como una escala mayor.

Utilizando estas notas, podemos escribir el Himno Nacional en un tono más cómodo:

Ahora está en la tonalidad de G mayor, la escala que tiene un sostenido. Supongamos que quiera escribirla empezando en D.

Esta es la escala mayor que empieza en D con el orden correcto de tonos y semitonos mantenido:

D   E   F   G   A   B   C#   D

Y aquí está la conocida melodía en la tonalidad de D:

No tenemos que escribir un signo de sostenido (#) delante de todo F y todo C. Pero lo que sí podemos, y hacemos, es escribir estos dos sostenidos sobre el pentagrama al principio de una pieza, lo que indica que todos los F y C de la melodía se cantan siempre como F# y C#. Lo hacemos de este modo:  . Esto se llama «armadura de clave», y el ejemplo de la página anterior debería escribirse apropiadamente, así:

sin necesidad de escribir un sostenido antes de todo C y F en la música.

La misma melodía necesitaría también una nota negra si empezase en F: B bemol. Es la misma nota que A sostenido, pero en la tonalidad de F mayor ya tenemos un A natural. A sostenido resultaría más problemática de escribir, por lo que llamamos B bemol a la nota negra.

La escala de F es así:

y el Himno Nacional en la tonalidad de F mayor sería así:

Si un compositor quiere empezar esta melodía, o cualquier otra, en B, E bemol, A bemol, o F sostenido, tendría que usar otras tonalidades y más notas negras: más sostenidos y bemoles. Hay varias tonalidades mayores diferentes: siete utilizan sostenidos, siete utilizan bemoles, y aparte la de C mayor, que no tiene sostenidos ni bemoles.

Se incluyen a continuación todas las escalas o tonalidades mayores, con los semitonos marcados y con las armaduras de clave:

ESCALAS Y TONALIDADES MENORES

Como las palabras y la música expresan una variedad de emociones, y no sólo ruido, los compositores necesitan la capacidad de transmitir sus sentimientos a través de los sonidos que tienen a su disposición. Las escalas mayores producen un sonido «brillante» y «alegre», pero un orden diferente de tonos y semitonos puede cambiar la atmósfera de la escala, dando una sensación de tristeza u «oscuridad».

La escala de C mayor, por ejemplo,

da un sonido bastante alegre. Pero si cambiamos unas cuantas notas

se vuelve triste.

Este nuevo «sentimiento» está causado enteramente por el cambio del orden de los tonos y semitonos. Las notas tercera, sexta y séptima son un semitono inferiores a las de la escala de C mayor, y este nuevo orden forma una escala menor; en este caso la de C menor. Sólo han cambiado tres notas, pero el efecto es completamente diferente.

De hecho, las notas sexta y séptima no son las que importan; podrían ser las dos bemoles, las dos naturales, o una de cada, y la atmósfera seguiría siendo la misma. La nota que importa es la tercera, que ha de ser un semitono inferior a su hermana mayor.

El tercer bemol —la nota «triste»— es el demonio que lanza las flechas fatales.

Por tanto, la escala menor transmite los sentimientos menos felices del compositor, y lo consigue principalmente como resultado de haber bajado la tercera nota.

«Scarborough Fair», que mencionamos en otro capítulo, es un ejemplo de canción no muy feliz, escrita en tonalidad menor: E menor.

La tercera nota bajada es G; pero G natural, no G sostenido. Si esta canción se hubiera escrito en una tonalidad mayor, se hubiera utilizado G sostenido, con lo que habría cambiado completamente la atmósfera.

La escala menor, por tanto, tiene una tercera nota bajada; pero también tiene una nota sexta y otra séptima que pueden ser bemoles, naturales o sostenidas, según el deseo del compositor.

Esta es A menor, la escala menor relacionada con C mayor en virtud del hecho de que ninguna de ellas utiliza sostenidos o bemoles en la armadura de clave; he marcado todas las posiciones de semitonos importantes.

Como sucede con la escala mayor, puede trasponer tonalidades menores a tonos diferentes; en tanto en cuanto mantenga el orden de los semitonos. Aquí tenemos las otras escalas menores con las armaduras de clave y sus terceras «tristes» marcadas.

E MENOR
UN SOSTENIDO

D MENOR
UN BEMOL

B MENOR
DOS SOSTENIDOS

G MENOR
DOS BEMOLES

F SOSTENIDO MENOR
TRES SOSTENIDOS

C MENOR
TRES BEMOLES

C SOSTENIDO MENOR
CUATRO SOSTENIDOS

F MENOR
CUATRO BEMOLES

G SOSTENIDO MENOR
CINCO SOSTENIDOS

B BEMOL MENOR
CINCO BEMOLES

D SOSTENIDO MENOR
SEIS SOSTENIDOS

E BEMOL MENOR
SEIS BEMOLES

A SOSTENIDO MENOR
SIETE SOSTENIDOS

A BEMOL MENOR
SIETE BEMOLES

Esto es todo lo que necesita saber por ahora sobre escalas y tonalidades. Sé que de momento es confuso, pero con el tiempo se familiarizará con ello y la información le ayudará enormemente a cantar leyendo.

Si tiene tiempo, escriba algunas escalas, sepa cómo son y memorícelas. Es vital saber cómo aparecen los sonidos en el papel.

INTERVALOS

Cantar las notas que se leen significa cantar con precisión, sean cuales sean las notas impresas.

Suponga que ve un F sostenido seguido de un D, seguido de un E:

¿Cómo saber las notas que ha de cantar? ¿Cómo saber el tono exacto? Hay algunas personas que tienen un sentido del «tono absoluto» o «tono perfecto». Estas personas pueden darle cualquier nota que les pida en una décima de segundo. Poseen la notable capacidad de saber *con precisión* el tono de cualquier nota con independencia de lo que estén haciendo y a cualquier hora del día o de la noche. Para estas poco frecuentes personas, el tono no es un problema; pueden cantar las notas con la misma precisión que las toca un pianista. Pero los demás no podemos estar seguros de cómo suena F sostenido hasta que lo oímos en un instrumento o diapasón. Pero podemos saber cómo suena F sostenido *en relación con D*. Si sabe que las tres notas del ejemplo anterior son la tercera, la de arriba y la segunda de una escala mayor, entonces *imagina* cómo suenan y puede cantarlas. Es posible «oír» cómo suena cualquier nota en relación con otra; y a esto se le llama tener un sentido del «tono relativo».

Si usted sabe que estas notas son la quinta, la tercera, la segunda y la primera de una escala menor, y está familiarizado con los sonidos de una escala menor, puede *imaginarlas* y cantarlas. Entonces es bastante sencillo: ha de ser capaz de imaginar u «oír» en su mente cualquier intervalo en esas escalas.

Otra cosa que sirve de ayuda es conocer los nombres de todos los intervalos. Si sabe, por ejemplo, que de D a B bemol es un intervalo de sexta menor, y sabe cómo suena un intervalo de sexta menor, podrá cantar las notas. Los intervalos se denominan de acuerdo con cuántos *nombres* de notas alcanzan, las dos de los extremos incluidas.

Este intervalo es de sexta, pues incluye F G A B C D, seis nombres de notas

Este intervalo es de cuarta, pues incluye cuatro nombres: D E F G

Esta es la norma, un intervalo se denomina de acuerdo con el número de nombres de notas que incluye.

Los intervalos de una escala mayor se llaman así:

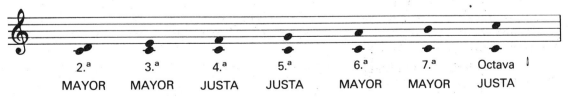

2.ª	3.ª	4.ª	5.ª	6.ª	7.ª	Octava
MAYOR	MAYOR	JUSTA	JUSTA	MAYOR	MAYOR	JUSTA

Todas las escalas mayores tienen los mismos nombres de intervalos. En E bemol son así:

2.ª	3.ª	4.ª	5.ª	6.ª	7.ª	Octava
MAYOR	MAYOR	JUSTA	JUSTA	MAYOR	MAYOR	JUSTA

En las tonalidades menores, como ya sabe, las notas tercera, sexta y séptima son diferentes; por tanto, aquí tiene los nombres de todos los intervalos de las escalas menores.

C MENOR

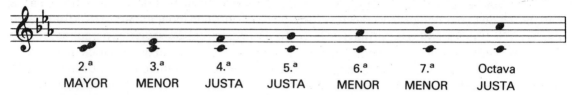

2.ª	3.ª	4.ª	5.ª	6.ª	7.ª	Octava
MAYOR	MENOR	JUSTA	JUSTA	MENOR	MENOR	JUSTA

Como ya habrá sospechado, las notas tercera, sexta y séptima hacen intervalos diferentes de los de sus equivalentes mayores, por lo que se llaman menores. Este es el sistema de nombrar los intervalos.

¿Cómo va hasta ahora? ¿Está empezando a tener sonidos en la cabeza? Pruebe a imaginar una tercera mayor, y luego una quinta justa.

¿Puede averiguar cómo suenan dos notas en relación la una con la otra? Estoy seguro de que sí..., y también de que está empezando a pensar en una frase como ésta:

en términos de una sexta mayor, una tercera mayor, una cuarta justa seguida de una quinta perfecta.

Hasta ahora hemos hablado de los intervalos constituidos por las primeras notas y otra nota de las escalas menores y mayores, y la gran mayoría de los intervalos que se encuentre entran en esta categoría, salvo en el caso de otros intervalos como éstos:

Hay algunos intervalos difíciles como éstos, pero, afortunadamente, no tenemos que cantarlos a menudo. Sin embargo, como los encontramos ocasionalmente, tenemos que conocer sus nombres y cómo suenan. Se denominan intervalos DISMINUIDOS y AUMENTA-DOS. Un intervalo disminuido es aquel que es un semitono menor que un intervalo menor o un intervalo perfecto. Un intervalo aumentado es aquel que es un semitono mayor que un intervalo mayor o un intervalo perfecto.

7.ª	7.ª	5.ª	5.ª
MENOR	DISMINUIDA	JUSTA	DISMINUIDA

6.ª	6.ª	4.ª	4.ª
MAYOR	AUMENTADA	JUSTA	· AUMENTADA

Esto es, resumidamente, todo lo que necesita saber sobre intervalos, con el fin de cantar las notas adecuadas. Si esta información le resulta nueva, lo normal es que le sea difícil representársela. No se preocupe, siga con el libro y dése un poco de tiempo. En unas cuantas semanas empezará a ver la luz.

CANTAR LAS NOTAS EN EL MOMENTO ADECUADO

Suponiendo que pueda cantar las notas debidas, lo que necesita saber ahora es cómo cantarlas en el momento adecuado, y luego podrá leer música perfectamente. Necesita aprender las duraciones y silencios de las notas, el tempo o paso en que viajan; en una palabra: el ritmo.

No el *tono* de una nota, sino su *pulso.* Ya sea regular, como los latidos de su corazón y el tictac de un reloj, o irregular, como los golpes del código Morse o la canción de un pájaro.

Si tuviéramos que indicar un pulso regular en un diagrama, lo haríamos así:

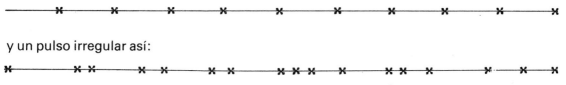

y un pulso irregular así:

Un compositor ha de decirles a los cantantes cuánto han de durar las notas, y lo indica con la *forma* de éstas.

Aquí tiene algunas notas: ♩ ♪ ♪ o ♪ ; todas tienen formas diferentes, por lo que también tienen una duración diferente.

En esta tabla puede ver las notas que usamos indicando su duración en relación con las otras. Cada una es la mitad de larga que la siguiente.

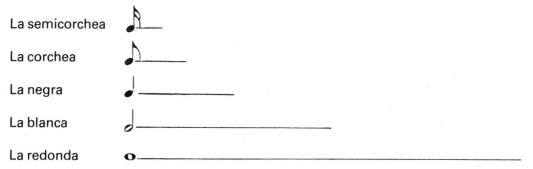

La semicorchea	
La corchea	
La negra	
La blanca	
La redonda	

En América reciben nombres descriptivos:

1/16 de Nota ♪

1/8 de Nota ♪

1/4 de Nota ♩

1/2 de Nota ♩

1 Nota (entera) ○

Imagine los latidos de su corazón: cuéntelo o dé palmadas:

Es un pulso uniforme: el tiempo entre cada pulso es el mismo y la longitud de cada pulso es la misma. Podemos ver el ritmo con las notas; con siete notas de la misma longitud. Veamos la negra:

1	2	3	4	5	6	7

Este es el pulso de negra. El pulso de corchea será dos veces más rápido. Llévelo golpeando con el pie.

1	2	3	4	5	6	7

El pulso de semicorchea es cuatro veces más rápido. Cuatro golpes rápidos por cada latido:

1	2	3	4	5	6	7

El pulso de blanca será la mitad de rápido. Una nota lenta. Golpee lentamente:

1	2	3	4	5	6	7

Y el de redonda, aún más lento. Pruébelo:

1	2	3	4	5	6	7

O, puesto de otro modo:

Aquí tiene de nuevo sus latidos... o segundos... o cualquier pulso regular. Sígalo con golpes de pie o con palmadas.

Divida ahora el pulso en cuartetos y cuente 1 2 3 4   1 2 3 4   1 2 3 4 rápidamente.

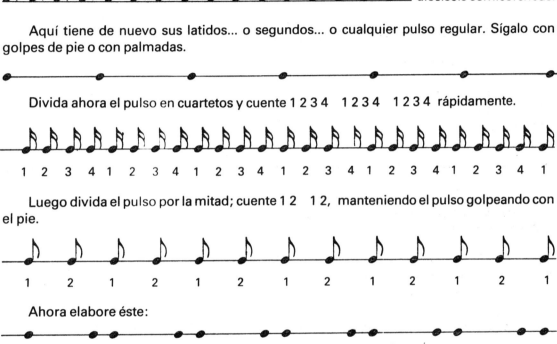

Luego divida el pulso por la mitad; cuente 1 2   1 2, manteniendo el pulso golpeando con el pie.

Ahora elabore éste:

La primera nota dura tres cuartos de un pulso, y el más breve un cuarto. Debe haber oído ese ritmo, quizá en un viaje en tren. El compositor indica ese ritmo desigual de este modo:

Con un punto detrás de una nota.
El punto alarga una nota en su mitad. Por tanto, como en el Himno Nacional norteamericano.

Un punto después de una nota le añade la mitad de su duración.

Otro modo de alargar una nota es uniéndola a otra con este signo ⌣ . Significa «más», esto es:

Esto *sonaría* igual que el ejemplo anterior.

Si empieza a perder la razón, déjelo ahora y vuelva a ello mañana. Estas cosas resultan difíciles de poner en palabras, pero se convierten en una segunda naturaleza una vez que se sienten. Dedíquese a una sección cada vez, lentamente, y consiga que alguien más lo lea con usted. Con el tiempo todo irá resultando fácil.

Si no se está volviendo loco, sigamos.

Volvamos a los latidos de su corazón:

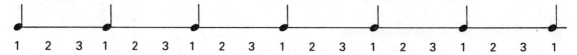

Ya sabe cómo escribir cuatro notas por pulso, y dos. Pero ¿y tres... o cinco? Trate de contar tres entre cada golpe:

Cada cuenta es un tercio de negra. ¡No existe tal nota! Por tanto, indicamos «tresillos» de este modo:

Tres notas en el tiempo de una negra.
Tres notas en el tiempo de una corchea sería así:

Y tres notas en el tiempo de una blanca serían así:

Los grupos de cinco se escriben de un modo similar:

Tales son las longitudes de las notas. No tienen que durar un número particular de segundos. No tienen una longitud *real.* Tienen una longitud *relativa:* en relación con las otras notas.

En todas partes hay ritmo o pulso. Estaciones, ciclos, flujo y reflujo, alza y caída. Acción y descanso, día y noche, ruido y quietud, excitación y calma, fuerte y débil. Son diversos esquemas que hacen las cosas interesantes..., y sin los cuales la vida y la música resultarían monótonas.

La música no sale de una máquina de hacer salchichas: es una reacción espontánea ante la vida... y ante el «sentimiento», especialmente la música vocal, con su mensaje adicional de palabras. Tiene un ritmo natural, subidas y bajadas naturales, parte rápida y parte lenta, algunos pulsos fuertes, algunos no tan fuertes. Es imposible imaginarla de otra manera.

Piense en el ritmo de un vals, o en el Himno Nacional norteamericano. Puede «sentir» 1 2 3 en ambos, ¿no es cierto? 1 es más fuerte que 2 y 3. Piense en los soldados desfilando, o en casi cualquier música de rock: estas músicas son de cuatro: **1** 2 3 4, **1** 2 3 4; el primer pulso más fuerte que los otros. Toda la música es así; a veces con un 2 «sentido», a veces un 6 (**1** 2 3 4 5 6), ocasionalmente 5.

Los compositores le dicen el ritmo en que están pensando —no es que necesiten hacerlo porque usted puede sentirlo— escribiendo un «compás» después de la armadura de clave. Como éstos:

El número de arriba nos dice cuántos pulsos hay *(no muy fuerte)* y el número de abajo la longitud del pulso:

4 significa nota de cuarto (o negra, ♩)

8 significa nota de octavo (o corchea, ♪)

16 significa nota de dieciseisavo (o semicorchea, ♪)

2 significa nota media (o blanca, ♩)

Los compositores indican también el ritmo dividiendo las notas en grupos de ritmo con líneas verticales:

Tampoco estas líneas son absolutamente esenciales, pues usted puede «sentir» el ritmo, pero facilitan la visión de una línea de notas. Sin embargo, tienen la desventaja de romper las frases largas en pequeños trozos o «compases»; por esa razón, espero que no pierda demasiado tiempo preocupándose de las barras de compás.

Finalmente, hemos de aprender algo acerca de los silencios: de los símbolos que los indican. Son sencillos.

La nota	𝅝	𝅗𝅥	♩	♪	♪
Su silencio	▄	▄	𝄽 o 𝄼	𝄾	𝄿

Para un silencio de compás completo utilizamos el silencio de redonda, con independencia de la longitud del compás, y el silencio punteado, infrecuente, corresponde a una nota punteada.

Estos son, resumidamente, algunos de los datos que le permitirán leer y entender música. Observe que digo *resumidamente,* pues aunque aquí hay información suficiente para ayudarle a aprender a leer, es sólo una fracción del lenguaje total de la música.

Coda

Hemos cubierto casi todas las áreas que necesita saber un cantante para perfeccionar su técnica. La mayor parte del lado práctico del canto ha sido explicado con suficiente detalle para que le sirva de guía segura y útil durante los años de entrenamiento y aplicación. Si trabaja lo que hemos estado diciendo, su canto está destinado a mejorar; sus amigos notarán la mejoría, y usted mismo la escuchará.

El buen canto, sin embargo, no se compone *sólo* de aspectos aislados de la técnica vocal práctica. Un cantante no es un computador compuesto de docenas de elementos perfectamente fabricados; ante todo es un artista creativo, o al menos un intérprete de la creatividad de otra persona. Usted ha de ser ejecutante además de máquina, y necesita otras habilidades además de las piezas perfectamente trabajadas. Entre ellas están el conocimiento general de la música, interpretación, repertorio, lenguas extranjeras, actuación y presentación; y en este libro no puede cubrirse ninguna de ellas.

Le aconsejo vivamente que se prepare bien en estos temas no pertenecientes al canto, pues todos ellos son absolutamente esenciales para cualquiera que cante. Si puede, tome lecciones de profesores cualificados y cantantes experimentados; tiene que haber alguno que le convenga en su zona. Pero si no lo hay, podrá encontrar muchos buenos libros, si los busca.

He aquí algunas de las cosas más importantes que debería saber.

CONOCIMIENTO GENERAL DE LA MUSICA

Ritmo, tempo, tono, ejecución a primera vista, fraseado, entrenamiento del oído, canto coral (en grupos) y armonía.

INTERPRETACION

Haga entender al oyente el significado de la música y las palabras, transmita sus sentimientos, su interpretación de la música con variedad de expresión y énfasis en las palabras. En el caso de la música antigua, folklórica y tradicional, cualquiera que esté escrita antes de 1800 (cuando los compositores no indicaban cómo querían que se ejecutara), decida cómo cree que el compositor hubiera preferido el tempo o el volumen. Y por lo que se refiere a los ornamentos, familiarícese con los estilos de cantar de la época.

Incluso en la música moderna, ¿cómo de rápido es lo «rápido», cómo de lento es el «adagio», cuántos decibelios hay en «pp» y hasta qué punto debe hacer «crescendo»? Todas estas cosas son relativas y sólo usted puede decidir: usted es el intérprete.

REPERTORIO

1. A los cantantes siempre se les está pidiendo que den un concierto o hagan una grabación, a veces incluyendo música nueva, música que habían olvidado hace tiempo o que no conocían.

2. La mayor parte de los cantantes, en todas las épocas de sus vidas, tienen que hacer audiciones para promotores, directores y agentes; y si les importa el negocio, habrán preparado una selección de música conveniente en varios estilos que puedan cantar bien.

3. La música que se ejecuta normalmente es sólo la punta del iceberg; hay una cantidad ilimitada de música maravillosa que no se oye nunca. Parte de ella está sin publicar, agotada, o es difícil de conseguir...; pero puede encontrarse.

Cualquiera de estas razones es buena para formar o reformar su repertorio ahora. Nunca es demasiado pronto o demasiado tarde para volver a determinar su potencial vocal, pidiendo consejo a un experto, si es posible.

Por tanto, escríbase su repertorio incluyendo todo lo que le puedan pedir, haga una lista de lo que le gustaría cantar, aprenda la música, y en los ensayos cubra las exigencias técnicas del repertorio.

LENGUAS EXTRANJERAS

La música llamada «seria» o «clásica» está en su mayor parte en italiano, latín, español, inglés, alemán y francés.

En un mundo perfecto, todos los cantantes deberían tener fluidez en los cinco idiomas. Pero, por desgracia, lo más que muchos podemos conseguir son unos conocimientos elementales de cada uno. Asegúrese, no obstante, de que sus conocimientos elementales incluyen una pronunciación y acentuación verbal perfectas, el entendimiento de las palabras que canta y, en la música teatral, el conocimiento de lo que están cantando los otros.

ACTUACION Y PRESENTACION

El modo en que se presenta un cantante, tanto en el escenario como ante individuos, es un tema en el que todos los ejecutantes y empresarios efectivos pierden tiempo y dinero; y también es el factor más común en el éxito o fracaso de un cantante. ¡De nada le valdrá ser un cantante maravilloso si nadie le pide que cante porque se siente violento en un escenario y fuera de él!

Hay algunas personas con encanto natural que parecen permanecer, a pesar de la incompetencia..., por un tiempo al menos. Usted no es uno de ellos; si lo fuera no estaría leyendo este libro. Por eso espero haberle estimulado a hacer algo con respecto al modo en que los otros lo ven. Piense en los movimientos, los gestos, la posición, su apariencia, expresión facial, y su conversación, pues esas cosas no pueden aprenderse en un libro. Los profesionales consagrados y la experiencia son los mejores profesores.

Terminología musical

El italiano sigue siendo la lengua internacional de la música, a pesar de la introducción en los últimos años de palabras españolas, inglesas, francesas y alemanas, etc., en los pentagramas de algunos compositores. Casi todas las piezas de música impresa que pueda comprar tienen algunas instrucciones en italiano.

Incluyo aquí una lista de los términos más comunes que puede encontrarse un cantante, y aunque no es global, podrá adquirir un útil conocimiento musical de cara a su trabajo.

Término	Significado	Abreviatura
A CAPPELLA	Sin acompañamiento	
A TEMPO	En la velocidad (original)	
ACCELERANDO	Acelerando gradualmente	ACCEL.
ADAGIO	Lentamente	
ALLA	En el estilo de	
ALLARGANDO	Alargando	
ALLEGRETTO	No tan rápido como el allegro, pero casi	
ALLEGRO	Rápidamente	
ANDANTE	Fluido; ni rápido ni lento	
ARIA	Un solo vocal largo, y a menudo elaborado, en una ópera u oratorio	
ASSAI	Usualmente significa «muy»	
BEL CANTO	El estilo clásico del canto italiano de los siglos XVII y XVIII	
BOCCA CHIUSA	Con la boca cerrada; es decir, tarareando	
CALMATO	Calmado	
CODA	Una sección final, usualmente unos cuantos compases para terminar una canción	

COLLA VOCE	Con la voz, para los acompañantes que siguen al cantante	
CON	Con	
CON MOTO	Con movimiento	
CRESCENDO	Haciéndose más alto gradualmente	cresc. o ◁
DA CAPO	Volviendo al principio	D.C.
DAL SEGNO	Repita desde el signo 𝄋	D.S.
DIMINUENDO	Bajando el volumen gradualmente	Dim.
FERMATA	Pausa	𝄐
FINE	Final (de una canción)	fin
FORTE	Alto	*f*
FORTISSIMO	Muy alto	*ff*
GIOCOSO	Gozosamente	
LEGATO	Uniformemente; notas que se tocan unidas	
LENTO	Lentamente	
LUNGA	Largo	
MARCATO	Marcado; hay que enfatizar la nota	
MENO MOSSO	Menos movido; es decir, más lento	
MESSA DI VOCE	Crescendo y diminuendo expresivo en una nota	◁▷
MEZZA VOCE	A media voz	
MEZZO FORTE	Sólo moderadamente alto	*mf*
MEZZO PIANO	Sólo moderadamente bajo	*mp*
MODERATO	A una velocidad moderada	
MOLTO	Muy	
NIENTE	Nada; suele significar diminuendo hasta el silencio	
PAUSA	Silencio	
PIANISSIMO	Muy bajo	*pp*
PIANO	Bajo	*p*
PIU	Más	
POCO	Poco	
POCO A POCO	Poco a poco	
PORTAMENTO	Un deslizamiento entre notas	
PRESTO	Rápidamente	
RALLENTANDO	Gradualmente más lento	RALL.
RITARDANDO	Sosteniendo, lo mismo que rallentando	RIT.
SEMPRE	Siempre	
SENZA	Sin	
SIMILE	Similarmente; continúa en el estilo anterior	

SOSTENUTO	Sostenido	
STACCATO	Separado; opuesto o legato, su símbolo es un punto sobre una nota	♩
SUBITO	De repente	
TACET	Silencio; a menudo significa omitir	
TUTTI	Todos	
UNISON	Todas las voces cantan el mismo tono; no en armonía	UNIS.
VIVACE	Vivazmente	
VIVO	Vivo	
VOLTI SUBITO	Volver la página rápidamente	V.S.